C0-AMQ-235

1 동물농장
2 걸리버 여행기
3 좁은문
4 돈 키호테
5 죄와 벌
6 정글북
7 지킬 박사와 하이드
8 전쟁과 평화
9 지구에서 달까지
10 허클베리 핀의 모험
11 비밀의 화원
12 이상한 나라의 앨리스
13 아큐정전
14 변신
아잉,
나도 자기랑
프랑스로
신혼여행 가고 싶어.

혁명 정신과 예술이 숨쉬는 프랑스! 아~ 한 번만 가 봤으면!
거정 붙들어 매! 싸나이 중의 싸나이 장 발장과 함께 하는 프랑스 여행 지금부터 시작이닷!
사랑과 용서를 그대에게! 따뜻한 마음으로 〈레 미제라블〉의 문을 두드려요~.
논술 명작 15
레 미제라블

아이세움 논술 | 명작 15

레 미제라블

감수 및 개발 참여

책임 감수

박우현 전 한우리독서문화운동본부 교육원장, 동국대 철학 박사

논술 집필진

김영건 서강대 철학 박사, 계명대 연구교수

김창준 경희초등학교 수업개선 연구교사, 독서담당

문계연 논술 연구 및 집필가, 연세대 윤리교육대학원 석사

박민미 동국대 강사, 독서평설 필자, 동국대 철학 박사 수료

아이세움 논술 | 명작 15

레 미제라블

원작 빅토르 마리 위고 | **엮음** 원성렬 | **그림** 오승만 | **감수** 박우현

펴낸날 2006년 3월 15일 초판 1쇄, 2013년 10월 25일 초판 11쇄

펴낸이 김영진

본부장 조은희 | **사업실장** 이영호

편집장 박철주 | **편집 · 진행** 박은식, 박희정, 임지은, 위혜정 | **디자인** 서남이

펴낸곳 (주)미래엔 | **주소** 서울시 서초구 잠원동 41-10

전화 마케팅 02)3475-3843~4 편집 02)3475-3924 | **팩스** 02)541-8249

등록 1950년 11월 1일 제16-67호 | **홈페이지** www.i-seum.com

ISBN 978-89-378-4098-2 74860
ISBN 978-89-378-4116-3 (세트)

· 책값은 뒤표지에 있습니다.
· 파본은 구입처에서 교환해 드리며, 관련 법령에 따라 환불해 드립니다. 다만, 제품 훼손 시 환불이 불가능합니다.

Mirae N 아이세움은 (주)미래엔의 어린이책 브랜드입니다.

아이세움 논술 | 명작 15

레 미제라블

빅토르 마리 위고 원작
원성렬 엮음 | 오승만 그림

| 머리말 |

좋은 책 한 권이 열 학원보다 낫습니다

세월이 가도 우리의 가슴에 남아 있는 책이 고전이요, 시간이 흘러도 우리의 머리에 오래 기억되는 작품이 명작입니다. 좋은 책은 읽는 것만으로도 가치가 있습니다. 어렸을 때 감동 깊게 읽은 책들은 세월이 가도 내 몸에 향기로 남습니다.

책의 향기는 그 어떤 향기보다 향기롭습니다.

독서를 한 후에 생기는 느낌은 상당히 중요합니다. 나의 느낌은 나만의 재산입니다. 그 느낌을 말로 표현하거나 글로 써 보면 한 번 더 생각하는 사람이 됩니다. 한 번 더 생각하면 생각이 깊어지고 정확해집니다.

〈아이세움 논술 | 명작〉은 '좋은 책을 한 번 더 읽자' 는 의도에서 만든 것입니다. 책은 읽어야 내 것이 됩니다. 느낌으로 다가오고 생각으로 다가옵니다. 그러나 학년이 올라가면 올라갈

수록 느낌만이 아니라 자신의 생각도 중요해집니다. 나의 생각이 곧 내가 누구인지를 알려 주는 것이기 때문입니다.

어떤 문제에 대해 자신만의 생각을 적절한 이유와 더불어 쓰는 것이 논술입니다. 〈아이세움 논술 | 명작〉은 책을 다 읽은 후에 그와 관련된 것들을 한 번 더 생각해 보는 데 도움을 줍니다. 그리하여 우리가 읽은 명작을 내 것이 되도록 도와 줍니다. 논술 워크북과 가이드북이 그 역할을 할 것입니다.

좋은 책 한 권은 열 학원보다 낫습니다.

쓰기가 싫으면 그냥 재미있는 책만 읽어도 됩니다. 명작을 읽는 것만으로도 훌륭한 공부를 하는 것이니까요. 그러다 어느 순간에 쓰고 싶은 생각이 들면 써 보세요. 생각나는 대로 써도 좋습니다. 쓴다는 사실만으로도 한 단계 발전한 것이니까요.

가슴에 쓰는 글은 나를 위해 쓰는 글이며 종이에 쓰는 글은 역사를 위해 쓰는 글입니다. 글이 역사를 만듭니다. 명작과 더불어 향기를 느끼고 자신의 글과 더불어 생각하는 사람이 되기를 진심으로 바랍니다.

전 한우리독서문화운동본부 교육원장
박우현

명작 읽기의 소중함

열심히 책만 읽기에는 너무 고단한 우리 학생들에게 다시 '논술' 열풍이 불고 있다. 학생들이 스스로 즐겨 그렇게 된 것은 아니지만, 학생들을 위해 결코 나쁜 일이라고만 말할 수는 없을 것이다.

새삼스러운 얘기일 터이지만 좋은 글을 쓸 수 있는 가장 빠른 길은 "많이 읽고(다독多讀) · 많이 쓰고(다작多作) · 많이 생각(다상량多商量)"하는 삼다(三多)밖에 다른 것이 없다.

먼저 다독이 문제다. 많이 읽는다고 해서 아무 책이나 마구잡이로 읽는 것을 다독이라고 하지는 않는다. 많이 읽되, 좋은 책을 읽을 때 그것이 다독이다. 그렇다면 어떤 책이 좋은 책일까?

우선 고전이라 할 명작에는 사람이 세상을 살면서 알아야 할 온갖 삶의 지혜와 가치가 담겨 있다. 가령 〈지킬 박사와 하이드〉에서는 인간 내면에 혼재해 있는 선과 악의 대립을, 〈동물농장〉

에서는 삶을 한없이 타락시키는 전체주의와 아름다운 삶을 지향하는 인간의 무한한 이상의 끊임없는 갈등과 투쟁에 대한 반추를 해 볼 수 있다. 이런 고전을 재미있게 읽고 생각하는 기회를 갖는 것이 바로 좋은 글을 쓸 수 있는 바탕이다. 문제는 고전이 너무 어렵고 분량이 방대하다는 점이다.

이번에 출간된 〈아이세움 논술 | 명작〉은 원전의 내용을 재구성해 어린 학생들이 쉽게 고전과 친해지도록 만들었다. 지루함을 덜기 위해 캐릭터를 사용해서 그 캐릭터들과 끊임없이 교감하며 끝까지 책을 손에서 놓지 못하게 만든 것도 이 시리즈의 특색이요 장점일 터이다. 책 뒤에 논술을 학습할 수 있도록 논술 워크북과 가이드북을 제공하여 '학습과 논술' 이라는 두 문제를 다 해결할 수 있도록 배려한 점도 주목할 만하다. 어린 학생들이 편안하고 소중한 독서 경험을 하리라 본다.

물론 이 명작선은 완역본이 아니므로 이것만 읽어서는 해당 작품을 제대로 읽었다고 말할 수 없을 것이다. 그러나 훗날 학생들이 성장하여 완역본으로 다시 읽고 올바르게 이해하는 데 큰 도움이 되도록 세심한 배려를 했다.

이 점도 이 시리즈가 귀하고 값진 이유이다.

시인

신경림

| 차 례 |

안녕,
나는 착한 뒤뚱이야.
내 몸매처럼 넉넉한 마음으로
〈레 미제라블〉을 소개해 줄게.

반갑소, 친구들!
번빠리 인사드리오.
내 이빨처럼 빛나는
은 촛대에서부터 이야기는
시작되지.

PART 1 명작 살펴보기

PART 2 명작 읽기

악당 다 덤벼!
나처럼 터프한
장 발장 아저씨의 이야기를
이제야 듣게 되는구나!

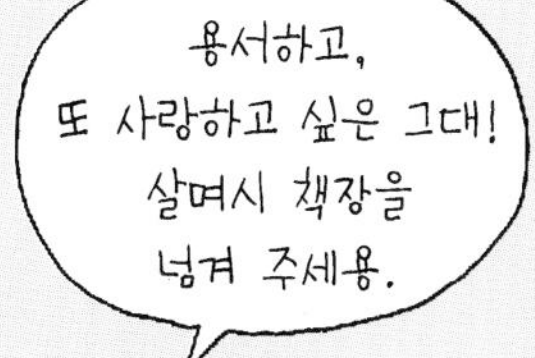

용서하고,
또 사랑하고 싶은 그대!
살며시 책장을
넘겨 주세용.

박테리아 고로케 튜브 팬티맨

PART 1

PART 1 PART 1
PART 1 PART 1 PART 1
PART 1 PART 1 PART 1 PART 1
PART 1 PART 1 PART 1 PART 1 PART 1
PART 1 PART 1 PART 1 PART 1 PART 1 PART 1
PART 1 PART 1 PART 1 PART 1 PART 1
PART 1 PART 1 PART 1 PART 1
PART 1 PART 1 PART 1
PART 1 PART 1

명작 살펴보기

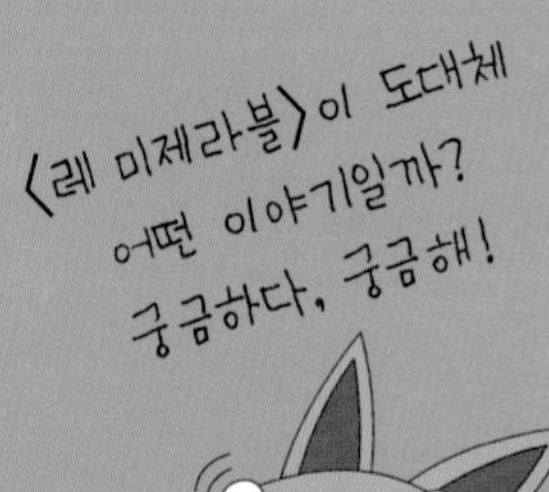

명작 살펴보기

만화로 미리 보기

두 명의 도둑을 잡아라!

번빠리는 제일 좋아하는 빵을 도둑맞았어요.
뒤뚱이 또한 그 동안 아껴 두었던 우유를 도둑맞았지요.
얼마 후, 그들의 물건을 훔쳤던 두 명의 도둑이
잡혀 왔답니다. 번빠리와 뒤뚱이는 그들을 용서해 줄까요?

10년 후
번빠리의 빵을
훔친 빵 도둑은…….
윽. 내 구역을 넘보다니…
도둑이야!
남은 건
사회에 대한 분노뿐이야.
번빠리 녀석 집을 털고 나니
이제 속이 좀 시원하군.

한편, 뒤뚱이에게 용서를 받은
우유 도둑은…….
하하하. 10년 전 나에게 은혜를
베풀어 주신 분 덕분에 맘 잡고
열심히 살아 부자가 됐지요.
오늘의 영광을 그분께 돌립니다.

엉엉엉!
그 때 용서해
줬으면 좋았을 텐데.
다 털렸어!

감옥에서 나온 빵 도둑은 더 큰 도둑이 되어 나쁜 짓을 일삼았고, 용서를 받은 우유 도둑은 열심히 살아 훗날 부자가 되었어요. 때로는 **용서와 화해**가 더 좋은 결과를 가져다 주는 경우도 있답니다.

어떤 이야기인가요?

빵 때문에 19년이나 감옥에 있었다고?

내 물건을 훔쳐 간 도둑이 앞에 나타난다면 여러분은 어떻게 할 건가요? 번빠리처럼 화를 내며 도둑을 감옥에 가둘 건가요? 아니면 뒤뚱이처럼 너그럽게 용서할 건가요? 용서하고 화해하는 삶을 산다는 것은 쉬운 일이 아니에요. 다른 사람을 사랑하는 마음이 밑바탕에 깔려 있어야 하거든요.

이제부터 함께 읽어 볼 세계 명작은 〈레 미제라블〉입니다.
〈레 미제라블〉은 빵을 훔쳤다는 이유로 19년이나 감옥살이를 해야 했던 장 발장이란 인물의 생애를 그린 작품이에요.

이 사람은 도둑이 아니라 내 손님이오!

19년 동안이나 형을 살고 나온 장 발장은 인정머리 없는 세상에 대한 분노로 뭉쳐 있었어요. 오직 한 신부님만이 그를 따뜻하게 대해 주지요. 단 한 번의 아름다운 용서로 장 발장은 달라지기 시작해요. 무슨 마법이 일어났냐구요?

궁금하다면 다 함께 〈레 미제라블〉을 읽어 볼까요?

〈레 미제라블〉은 영화와
뮤지컬로도 만들어진 유명한 작품이지.
필수적인 교양을 쌓기 위해
꼭 읽어 두어야 할 소설이야.

한눈에 살펴보기
나는 미리엘 주교. 장 발장, 당신의 영혼을 하느님께 맡겼소. 새 사람이 되시오.
나는 장 발장. 비록 과거에 죄를 짓긴 했지만 바르게 살고 싶어요.

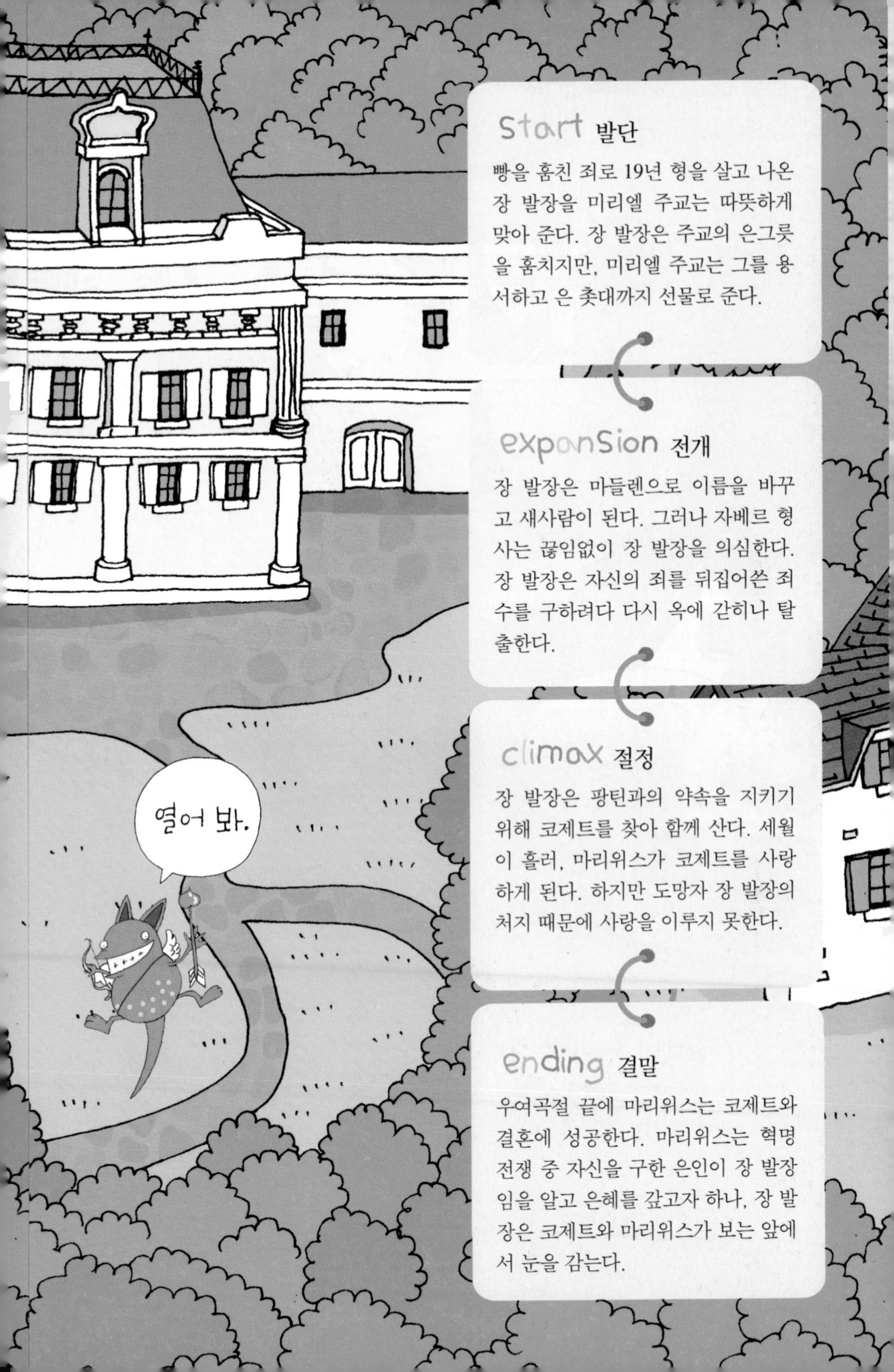

Start 발단

빵을 훔친 죄로 19년 형을 살고 나온 장 발장을 미리엘 주교는 따뜻하게 맞아 준다. 장 발장은 주교의 은그릇을 훔치지만, 미리엘 주교는 그를 용서하고 은 촛대까지 선물로 준다.

expansion 전개

장 발장은 마들렌으로 이름을 바꾸고 새사람이 된다. 그러나 자베르 형사는 끊임없이 장 발장을 의심한다. 장 발장은 자신의 죄를 뒤집어쓴 죄수를 구하려다 다시 옥에 갇히나 탈출한다.

climax 절정

장 발장은 팡틴과의 약속을 지키기 위해 코제트를 찾아 함께 산다. 세월이 흘러, 마리위스가 코제트를 사랑하게 된다. 하지만 도망자 장 발장의 처지 때문에 사랑을 이루지 못한다.

ending 결말

우여곡절 끝에 마리위스는 코제트와 결혼에 성공한다. 마리위스는 혁명 전쟁 중 자신을 구한 은인이 장 발장임을 알고 은혜를 갚고자 하나, 장 발장은 코제트와 마리위스가 보는 앞에서 눈을 감는다.

이렇게 읽어 보세요!

세상을 움직이는 용서와 화해

1862년에 발표된 빅토르 위고의 장편 소설 〈레 미제라블〉은 '비참한 사람들' 이란 뜻을 가지고 있어요. 제목처럼 소설에 등장하는 많은 인물은 불우하고 비참하게 살아가지요.

빵을 훔친 죄로 19년이나 옥살이를 하고도 전과자라는 꼬리표에서 자유롭지 못했던 장 발장. 사랑하는 딸을 잃고 삶의 희망을 버린 팡틴, 엄마 없이 불우한 어린 시절을 보내야 했던 코제트, 아버지의 사랑을 받지 못하고 자란 마리위스 등은 인생의 비참한 단면들을 잘 보여 주지요. 악역으로 나온 자베르나 테나르디에 역시 삶의 굴레에서 자유롭지 못한 건 마찬가지예요. 작가는 이렇게 가엾은 사람들을 통해, 세상을 새롭게 만드는 따뜻한 사랑에 대한 이야기를 들려줍니다.

▼ 작품의 배경인 19세기 프랑스에는 어렵게 살고 있는 사람들이 많았어요.

죄를 저지른 사람에게
형벌을 내리는 법과 제도가
사회 전체에 자유를
안겨 줄 거야.

진정한 자유는 어떻게 얻을 수 있나요?

〈레 미제라블〉에 등장하는 많은 인물들은 스스로가 만들어 낸 욕심과 집착 때문에 힘든 나날을 보냅니다. 그리고 항상 힘든 삶에서 벗어나 자유롭고 싶어해요. 장 발장이 탈옥을 하고 물건을 훔친 이유도 자유를 찾기 위해서죠.

사회에 대한 분노로 가득했던 장 발장은 훗날 자신의 재산을 가난한 이들과 나누며 그들을 위로하고 보살펴 주는 삶을 삽니다. 그리고 이 세상을 뜨는 순간, 비로소 진정한 자유를 찾았다고 말하지요. 여러분은 〈레 미제라블〉을 읽으면서 장 발장이 자유를 얻게 된 이유가 무엇인지 생각해 보세요.

아냐, 진정한 자유를
가져다 주는 건,
용서와 사랑이야.

◀ 가난한 민중들은 자유를 위해 자신과, 사회에 맞서 싸워야 했어요.

잠시 휴식! 파인애플 주스 한 잔 마시고 〈레 미제라블〉을 읽어 보세요!

PART 2

명작 읽기

눈물 없인 들을 수 없는
장 발장의 이야기 속으로 풍덩~

명작 읽기

1장
미리엘 주교와 장 발장

디뉴의 주교

브리놀의 주임 신부 미리엘은 욕심이 없고 검소한 생활을 하는 평범한 사람이었다. 그러나 황제의 대관식이 있을 무렵, 추기경을 만나러 파리로 간 일이 그의 인생을 송두리째 바꿔 놓았다.

문 앞에서 추기경을 기다리던 그의 앞으로 잘 차려입은 어떤 신사가 사람들과 함께 들어왔다. 그것을 본 노신부 미리엘의 눈이 빛났다. 그 신사가 누구인지 알아보았던 것이다.

소문에 의하면
미리엘 주교는 권세 높은
법관 귀족의 아들이라나?
젊은 시절, 술과 파티를
즐겼다고도 해.

신사도 자신을 향한 눈빛을 알아채고 뒤를 돌아보았다. 그리고 노신부 앞으로 걸어갔다.

가톨릭 성직자의 계급은
'교황-추기경-주교-사제' 순이야.
교황은 세계에 한 명뿐이지.

"왜 나를 그렇게 뚫어져라 보시는 겁니까?"

"폐하께서는 늙은이를 보고 계시고 저는 위인을 올려다볼 뿐입니다."

그 신사는 바로 나폴레옹이었다. 황제라는 징표徵表를 찾아볼 수는 없었지만 미리엘 신부는 그가 누구인지 단번에 알아보았다.

나폴레옹 황제는 곧바로 추기경을 시켜 미리엘을 디뉴의 주교로 임명하게 했다. 얼떨결에 미리엘은 디뉴의 주교가 되었고 주교의 저택에서 살게 되었다.

미리엘 주교는 누이동생 바티스틴과 하녀 마글루아르와 함께 살고 있었다. 바티스틴 양은 순한 성품으로 사람

징표(徵表) : 어떤 사물을 다른 사물과 구별하여 그것이 무엇인가를 나타내 보이는 지표가 되는 것.

들로부터 사랑을 받았다. 작은 키에 뚱뚱한 몸집의 하녀 마글루아르는 부지런하고 성실한 노파였다.

그들이 들어가 살게 된 저택은 대리석으로 꾸며져 아름다웠다. 수많은 방이 깨끗하게 정리되어 있을 뿐 아니라, 정원 또한 넓었다. 저택 옆에는 2층 건물로 된 작은 병원이 있었다. 그런데 그 병원을 우연히 둘러본 미리엘 주교는 갑자기 자신의 저택과 병원을 바꾸기로 결심했다.

"우리 세 식구가 살기에는 이 집이 너무 크지 않소? 비좁은 공간에서 고생하는 환자患者들과 집을 바꾸려고 하오."

예전의 프랑스 화폐 단위는 프랑, 상팀, 수로 나눌 수 있지. 연금으로 받는 돈은 특히 리브르라고 했단다.

다음 날부터 환자들은 주교의 저택에서 치료를 받았고, 미리엘 주교와 동생, 그리고 하녀는 작은 병원에서 살게 되었다.

미리엘 주교에게는 개인 재산이 없었다. 물론 주교로서 매월 1만 5,000리브르를 받지만, 모두 기부

환자(患者) : 몸이나 정신이 아픈 사람.

하고 1,000리브르밖에 남겨 놓지 않았다. 심지어 자신이 책임을 맡고 있는 지역을 둘러보는 데 쓰일 사륜마차비조차 가난한 이웃을 위해 아낌없이 썼다. 때문에 함께 사는 바티스틴 양과 하녀 마글루아르는 돈을 매우 아껴 써야 했다.

미리엘 주교는 하느님의 말씀을 전할 때면, 예를 들어 가며 쉽게 설명했다. 그런 주교의 태도는 예수가 그랬으리라 여겨질 만큼 감동적이었다.

어떤 사람들은 미리엘 주교의 행동을 겉치레라고 모함했다. 그러나 진실은 언제나 밝혀지게 마련이다. 미리엘 주교의 한결같은 태도에 그를 욕하던 사람들도 점차 그를 존경하게 되었다.

아주 사소한 일까지 성실하게 돌보는 미리엘 주교는 그 어느 주교보다 바빴다. 잠은 조금밖에 자지 않았고 시간이 남을 때는 정원을 가꾸고 독서를 했다. 그의 맑고 깨끗한 생활은 투명한 유리에 빛나는 햇살 같았다.

미리엘 주교가 누리는 사치라고는 깨끗하게 청소한 집

과 은그릇 여섯 벌, 은수저 하나, 은 촛대 두 개뿐이었다. 주교는 소중하게 여기는 은 촛대와 은그릇을 꺼내 손님을 접대했다. 그것은 미리엘 주교와 바티스틴 양, 하녀 마글루아르가 함께하는 유일한 즐거움이었다.

또 미리엘 주교는 늘 모든 문을 열어 놓았다. 목자의 문은 늘 열려 있어야 한다는 그의 믿음 때문이었다.

당신에게 줄 방은 없어

나그네는 더위와 배고픔에 지친 표정으로 디뉴 시내를 걷고 있었다. 그의 이름은 장 발장이다. 허름한 옷차림에 양말도 없이 징이 박힌 구두를 신은 장 발장의 모습은 누가 봐도 막 교도소에서 나온 사람 같았다.

미리엘 주교는
장발장의 인생에
큰 변화를 준
중요한 인물이야.

장 발장은 시내로 들어서자마자 여관부터 찾았다. 여관은 식당도 겸하고 있었는데 저녁을 먹으러 온 사람들로 몹시 붐볐다. 사람들 사이로 장 발장이 들어서자 여관 주인은 심드렁

아이고, 가난한 사람들에게
전 재산을 다 나눠 주신
빈털터리 주교님이
촛대와 그릇은 고급을 쓰시네요?
허허허, 이건 내가 누리는
유일한 사치라오.
이건
우리 모두의
즐거움이죠.

하게 물었다.

"뭘 드릴까요?"

"먹을 것을 주세요. 그리고 빈 방은 있나요?"

"돈만 주신다면야 없는 것도 만들지요."

주인은 장 발장의 모습을 위아래로 훑어보고 사라졌다. 그런데 탁자에 앉아 아무리 기다려도 먹을 것은 나오지 않았다. 한참 후, 주인이 장 발장 앞으로 다가와 말했다.

"미안하지만, 나가 주시오."

"왜요? 이래 봬도 밥값 정도는 있소."

"아무리 돈을 많이 준대도 당신에게 팔 것은 없소."

"무슨 소리요? 방금 있다고 하지 않았소."

주인은 눈살을 찌푸리며 말했다.

"사람을 시켜 알아보니, 전과자라더군. 전과자에게 줄 음식은 없으니 가시오!"

장 발장은 아무 말도 못하고 물러났다. 그러나 다른 여관도 매몰차긴 마찬가지였다.

낯선 사람이 오니까
바로 뒷조사가 시작되는군.
어떨 땐 대도시보다 이런 시골이
더 무섭다니까.

그는 너무 춥고 배고픈 나머지 교도소 앞을 지날 때는 간수에게 하룻밤만 재워 달라 사정을 할 지경이었다. 그러나 간수는 체포돼 오면 넣어 주겠다며 그를 쫓아 냈다.

장 발장은 여관에서 자는 것을 포기하고 광장에 있는 돌의자에 누웠다. 그걸 본 한 아주머니가 다가와 물었다.

"뭐해요?"

"보면 몰라요? 잡니다."

장 발장은 귀찮다는 듯이 대답했다.

"왜 여관에 가지 않고?"

"돈이 없어요."

"필요하다면, 내가 4수(1프랑=20수)라도 주리다."

"하하, 그거 고맙군요. 사양 않고 받겠소."

"날도 추운데 아무 여관이나 가서 하룻밤 재워 달라고 해 보지."

"소용 없어요. 가 봤자 쫓아 낼걸."

"그럼, 저 집에나 한 번 가 보시구려."

"어디요?"

누구 집인지 알겠어?
힌트를 줄까?
원래는 병원이었던

"저기, 저 집 말이오."

장 발장은 그제야 일어나 앉았다. 그리고 아주머니가 일러 준 집을 쳐다보았다. 환한 불빛이 따뜻해 보였다.

또다른 감옥

'똑똑똑!'

누군가 문을 두드렸다. 미리엘 주교와 가족들이 막 저녁을 먹으려던 참이었다. 마글루아르 할멈이 문을 열자 장 발장이 들어섰다.

흐억!
소문 한번 빠르군.
이럴 때 생각나는 속담은?
삐익~! 발 없는 말이
천리 간다!

"다, 당신은 ……."

마글루아르 할멈은 그가 누구인지 단번에 알아보았다. 심상찮은 분위기의 낯선 사나이. 디뉴처럼 작은 마을에서는 뉴스거리가 되기에 충분했다. 더구나 그가 어떤 사람이라는 것까지 소문이 쫙 퍼졌다.

바티스틴 양은 조금 놀랐다. 하지만 곧 침착하

게 명랑한 표정表情을 되찾았다. 미리엘 주교만이 처음부터 반갑게 그를 맞았다.

"저, 저는 교도소에서 19년이나 징역을 살다가 며칠 전에 나왔지요. 나흘이나 걸어서 이 곳까지 왔는데 아무도 재워 주지 않는군요. 누가 이 곳에 가 보라고 하기에 왔습니다. 돈을 내라고 하면 내겠습니다. 하룻밤만 묵어 가게 해 주세요."

미리엘 주교가 장 발장에게 자리를 내주었다.

"마글루아르, 1인분을 더 준비해 주시오."

"가, 감사합니다."

장 발장은 떨리는 목소리로 말했다. 사실 그는 별다른 기대를 하지 않았다. 오직 이 집의 따뜻한 불빛을 보고 무턱대고 발걸음을 옮겼을 뿐이었다.

"식사를 하는 동안에 잠자리를 준비할 테니 우선 편히 쉬세요."

표정(表情) : 마음 속의 감정이나 정서 따위의 심리 상태가 얼굴에 나타남.

장 발장은 미리엘 주교의 친절한 태도가 낯설었다. 그가 스스로 신부라고 밝히기 전까지는 그저 마음씨 좋은 집주인으로만 알았던 것이다.

"아, 신부님이셨군요!"

미리엘 주교가 빙긋 웃었다.

"그런데, 돈은 좀 있소?"

"예, 약간. 19년 동안 번 109프랑과 15수가 있습니다."

"아니, 그 돈을 버는 데 19년이나 걸렸단 말이오?"

미리엘 주교는 긴 한숨을 내쉬었다. 그리고 따뜻한 목소리로 하녀 마글루아르에게 말했다.

은 촛대라고?
정말 귀한 손님에게만
내놓는 은 촛대
말이야?

"마글루아르, 손님이 오셨으니 은 촛대를 가져 오세요."

하녀 마글루아르는 장 발장을 귀한 손님 대하듯 하는 미리엘 주교가 못마땅했지만 미리엘 주교의 침실에서 은 촛대 한 벌을 가져다 불을 밝혔다.

"이렇게 사람 대접을 해 주시니, 몸 둘 바를 모르

겠습니다. 19년이나 추위와 욕설에 둘러싸여 산 데다, 여전히 누런 통행권通行券을 가지고 다니며 이렇게 살아야 하니, 제 팔자가 한심하지 않습니까?"

"힘든 날들을 보냈군요. 하지만 따뜻한 마음으로 지난 일을 용서하세요."

은 촛대와
은그릇까지!
장 발장
호강하네~.

하녀 마글루아르가 저녁 식사 준비를 마치자, 미리엘 주교는 친절하게 장 발장을 식탁으로 안내했다.

"그런데 이런, 귀한 손님이 오셨는데 중요한 게 빠졌군요! 마글루아르, 가져와요!"

하녀 마글루아르는 다시 한 번 미간을 찡그렸다. 그러고는 은그릇을 가지러 갔다. 장 발장은 은그릇에 담긴 따뜻한 스프를 입에 떠 넣었다. 그러자 세상이 아늑하고 평온하게 느껴졌다. 천국에 와 있는 것처럼 행복했다.

통행권(通行券) : 어떤 지역을 다닐 수 있도록 허가하는 종이 쪽지.

식사를 마친 뒤에 미리엘 주교는 장 발장을 침실로 안내했다.

“그만 쉬세요. 그리고 내일 아침, 집에서 직접 짠 우유를 한 잔 대접하리다.”

장 발장은 돌아 나가는 미리엘 주교의 뒷모습을 물끄러미 바라보았다. 믿어지지 않는 밤이었다.

범죄자 장 발장

장 발장은 미리엘 주교를 만나기까지 매우 고단한 삶을 살았다. 가난한 농가에서 태어나 어린 나이에 부모를 잃고 고아가 되었다. 그는 땔감을 해다 팔며 누이의 식구들과 겨우 먹고살았다. 장 발장은 열심히 일했지만 아이들에게 빵 한 조각 제대로 먹이지 못하는 무능한 삼촌이었다.

그러던 어느 일요일, 빵집 앞에 서 있던 장 발장은 주체할 수 없는 분노를 느꼈다. 유리창 너머로 산더미처럼 빵이 쌓여 있는데, 그 중에 어느 것도 자기 것은 없었기 때

빵, 빵, 빵.
빵 먹고 싶다!
냠냠냠~
맛있다.
딱 한 개만 훔치자.
딱 한 개만…….
조카들이 굶고 있어.
하느님도 이해해 주실 거야.

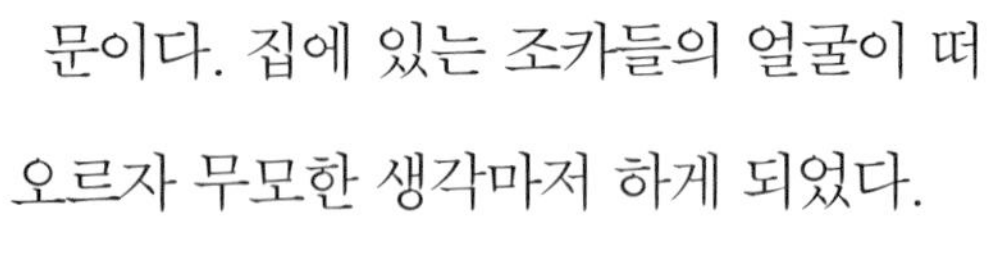
'겨우 빵
한 조각인데 어때.'
다들 처음엔 그렇게 생각하지.
하지만 바늘 도둑이
소 도둑 되는 법!

문이다. 집에 있는 조카들의 얼굴이 떠오르자 무모한 생각마저 하게 되었다.

'고작, 빵일 뿐이야!'

그는 주먹으로 유리창을 깨고 빵을 훔쳤다. 하지만 얼마 가지 못해 주인에게 잡히고 말았다. 결국 그는 빵 한 덩어리를 훔친 죄로 징역 5년 형에 처해졌다.

감옥에 갇힌 장 발장은 누이와 일곱 조카들이 걱정되었다.

감옥에서 생활한 지 4년째 되는 해, 그는 교도소에서 만난 친구들과 탈옥을 시도했다. 하지만 실패하여 징역 3년이 추가로 선고됐다. 감옥 생활 6년째에 다시 탈옥할 기회가 왔다. 그러나 다시 잡혔고, 이번에는 5년이 추가됐다. 10년째에 또 탈옥을 시도했지만 역시 실패였다. 형기만 3년이 늘었다. 13년째가 되던 해에, 장 발장은 다시 탈옥을 시도했고 형기 3년이

운 없는 양반…….
그냥 가만히 형을 살았다면
5년으로 끝났을 것을…….

추가되어 모두 19년을 감옥에서 살게 되었다. 그야말로 억세게 운이 없었다. 빵 한 조각을 훔친 게 원인이 되어 1796년부터 1815년까지 19년을 감옥에서 보내다니. 처음 감옥에 갇혔을 때, 장 발장은 조카들을 걱정하며 울었다. 그러나 19년 뒤 감옥을 나올 때는 아무것도 느끼지 못했다. 마음이 돌처럼 굳어졌다. 하지만 가혹한 형벌은 거기서 끝나지 않았다.

교도소를 나온 다음 날, 장 발장은 어느 공사장에서 하룻동안 일을 했다. 그는 힘이 세고 몸도 재빨랐다. 그런데 장 발장의 허름한 옷차림을 수상하게 여긴 경찰이 신분증을 요구했다. 장 발장은 감옥에서 나온 사람들이 가지고 다녀야 하는 누런 통행권을 꺼내 보여 주었다.

누런 통행권 말이야.
완전히 창살 없는 감옥이잖아.
<주홍글씨>라는 작품에 나오는
낙인 같군.

일을 마치고 감독관이 일당日當을 나누어 주었다. 그

일당(日當) : 하루 몫의 수당이나 보수.

런데 모두 30수를 주면서 장 발장에게만 20수를 주었다.

"왜 나만 20수예요?"

"너 같은 범죄자에겐 20수면 충분하지. 안 그래?"

감독관은 되레 호통을 쳤다.

장 발장은 교도소에서 나오던 때가 생각났다. 그 때 간수가 장 발장의 어깨를 치며 말했다.

"넌, 이제 자유다!"

그 말을 듣는 순간 장 발장은 자유로웠다. 그러나 교도소에서 나온 지 하루 만에 코웃음을 칠 수밖에 없었다.

'자유 좋아하시네. 누런 통행권이 또다른 감옥인걸.'

장 발장!
무슨 생각을 하는 거야?
주교님이 당신에게 베푼
인정을 생각해 보라구!

은 촛대도 가져가시오

대성당의 큰 시계가 새벽 2시를 알릴 때, 장 발장은 잠에서 깼다. 침대가 너무 편안해서 잠이 오지 않았다. 더구나 식사 때 보았던 여섯 벌의 은그릇이 머리에서 떠나지 않았다.

장 발장은 계산해 보았다. 은그릇과 은수저를 내다 팔면 적어도 200프랑은 받을 것이다. 19년 동안 감옥에서 갖은 고생을 하며 번 돈의 2배나 되는 큰 돈이다. 장 발장은 미리엘 주교의 친절을 떠올리며 망설였지만, 결국 은그릇을 훔쳐 도망쳤다.

다음 날 아침, 하녀 마글루아르는 비명을 지르며 미리엘 주교에게 달려갔다.

"으, 은, 은그릇을 도둑맞았어요. 분명 그놈 짓이에요!"

주교는 아무 말 없이 듣더니, 이렇게 말했다.

"마글루아르, 그는 가난해 보였지요?"

"가난하다 뿐입니까! 전과자인걸요!"

"처음부터 전과자였던 사람은 없어요. 다만 몸과 마음이 가난한 사람일 뿐이죠. 그렇다면 그가 은그릇의 주인이 맞아요. 하느님은 가난한 사람을 위해 쓰라고 그 물건을 우리에게 잠시 맡겨 두신 거니까요."

하녀 마글루아르는 이해할 수 없다는 듯이 고개를 저었다. 미리엘 주교는 가만히 눈을 감고 장 발장을 위해 기도

했다. 그 때 누군가 문을 두드렸다.

주교가 문을 열어 주자 경찰들이 장 발장을 데리고 들어왔다.

"미리엘 주교님. 저희들이 검문을 하던 중에 이자의 가방에서 은그릇을 발견했습니다."

"그래요?"

주교는 빙그레 웃으며 물었다.

"그런데 왜 제 손님을 죄인처럼 붙잡고 있는 건가요? 그 은그릇은 제가 드린 선물膳物인데요. 그게 문제가 되나요?"

"예?"

경찰들은 당황한 얼굴이었다.

"참, 안 그래도 두고 간 물건이 있어서 걱정하던 참이었소. 잠시만 기다리세요."

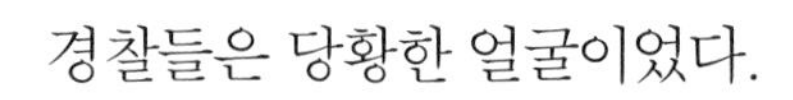

선물(膳物) : 인사나 기념, 또는 정을 나타내는 뜻으로 남에게 물품을 줌. 또는 그런 물품.

그건 제가 준
선물이에요.
뭐가 문제입니까?
뭐야, 도둑이
아니었어?
…….

미리엘 주교는 은 촛대마저 장 발장에게 가져다 주었다. 장 발장은 마음 속에 수치심이 가득 차올라 숨조차 제대로 쉬지 못했다. 미리엘 주교와 눈도 맞출 수 없었다.

순간 장 발장은
어떤 기분이 들었을까?
상상하며 읽어 보자고!

"아무리 바빠도 선물을 두고 가다니요!"

그제야 경찰들은 포박을 풀어 주고 그 곳을 떠났다. 장 발장은 그들이 떠나자 지옥에서 살아 돌아온 기분이었다. 미리엘 주교는 그에게 다가오더니 이렇게 말했다.

"약속을 지키세요. 이 은그릇과 촛대로 착한 사람이 되겠다고 한 약속約束 말입니다."

장 발장은 미리엘 주교와 약속을 한 적이 없었다. 그런데도 어쩐지 착한 사람이 되겠다고 약속했던 것만 같은 생각이 들었다.

약속(約束) : 어떤 일에 대하여 어떻게 하기로 미리 정하고 서로 어기지 않을 것을 다짐함.

은전 한 닢

장 발장은 정신 없이 달렸다. 시내를 지나 들판으로 나와서도 그는 멈추지 않았다. 멈추는 순간 곧바로 심장이 터져 버릴 것만 같았다.

하루 종일 아무것도 먹지 못했지만 배고픈 줄도 몰랐다. 그는 19년 동안 바위처럼 굳어져 버린 세상에 대한 분노憤怒가 미리엘 주교로 인해 산산이 깨지고 있는 것을 느꼈다.

그 때 어린아이의 흥얼거리는 노랫소리가 들려왔다. 아이는 장 발장이 있는 줄도 모르고 은전을 던져 올렸다 받곤 했다. 그러다가 40수짜리 은전 하나가 떨어져 장 발장 앞으로 굴러 왔다. 장 발장은 자신도 모르게 그 은전을 발로 밟았다.

"내 돈 돌려주세요."

"저리 가라."

분노(憤怒) : 분하여 몹시 성을 냄.

"어서 제 돈을 돌려주세요."

아이의 얼굴이 붉어졌다.

"썩 꺼지지 못해."

장 발장은 벌떡 일어서서 소리쳤다. 아이는 놀라 울먹이며 달아났다. 한참 동안 그 자리에 붙박인 듯 서 있던 장 발장은 발걸음을 옮기려다가 자신의 발 밑에서 차갑게 반짝이는 은전을 보았다. 그는 마치 감전感電이라도 당한 것만 같았다.

'내가 무슨 짓을 한 거지?'

장 발장은 정신 없이 그 아이를 찾아 들판을 가로질러 뛰어갔다. 돈을 돌려주고 용서를 빌고 싶었다. 그 때 말을 타고 가는 한 신부가 보였다.

"혹시 어린아이 하나가 지나가는 걸 못 보았소?"

"못 봤소."

감전(感電) : 전기가 통하고 있는 물체에 몸의 일부가 닿아 충격을 느끼는 일.

신부는 돌아서서 가던 길을 재촉했다. 그 때 장 발장이 신부를 불러 세웠다.

"잠깐만요!"

장 발장은 5프랑짜리 동전을 꺼내 신부에게 주며 가난한 사람들에게 주라고 말했다.

2장
마들렌 시장과 팡틴

팡틴과 코제트

1817년, 파리에 살던 아름답고 지혜智慧로운 아가씨 팡틴은 톨로미에스라는 청년과 사랑에 빠졌다. 그러나 톨로미에스가 팡틴을 버리고 떠나자 부모 없이 혼자 살고 있던 팡틴은 삶이 막막해졌다. 더구나 뱃속에는 톨로미에스의 아이가 자라고 있었다.

'아, 나는 이제 어떻게 살아야 하지?'

팡틴은 아기를 낳은 후 톨로미에스에게 여러 번 편지

지혜(智慧) : 사물의 도리나 선악 따위를 잘 분별하는 정신적 능력.

를 보냈으나 답장이 없었다. 일자리를 구하려고도 했지만 일을 해 본 경험이 없는 데다가 아이까지 있어 누구도 일을 주지 않았다. 팡틴은 가지고 있던 옷이며 장신구를 팔아 200프랑 남짓한 빚을 갚고 80프랑만 가지고 길을 떠났다.

파리 근처 몽페르메유의 어느 여관旅館 앞에 부서진 마차가 길을 막고 있었고, 마차 밑에서 두 아이가 노래를 흥얼거리며 놀고 있었다. 아이들의 어머니도 흥얼흥얼 노래를 따라 불렀다. 그 때 한 여자가 어린 아이를 안고 그들에게 다가왔다. 그녀는 팡틴이었다.

지금의 이 평화로운 모습이 나중에 어떻게 변할지 지켜보자고!

팡틴의 눈에는 마차 밑에서 놀고 있는 두 아이와 그들의 어머니가 행복해 보였다. 그들은 여관 주인 테나르디에의 아내와 자식들이었다.

여관(旅館) : 일정한 돈을 받고 손님을 묵게 하는 집.

"참 예쁜 아이들이군요."

자기 아이들을 칭찬하는 소리에 테나르디에의 아내는 빙그레 웃었다. 그러자 아이들이 달려와 팡틴의 품에 안긴 아이에게 말을 걸더니 함께 놀기 시작했다.

"댁의 아이도 예쁘네요. 이름이 뭐죠?"

"코제트예요."

사실 아기의 진짜 이름은 '외프라지' 였다. 하지만 팡틴은 그 순간 아이 이름을 좀 더 예쁘게 말하고 싶어, 막 생각난 예쁜 이름을 말했다.

"몇 살이에요?"

"이제 곧 세 살이 돼요."

"아이들은 금방 친해지는군요. 누가 봐도 세 자매姉妹라고 생각하겠어요."

그 말을 듣고 팡틴은 테나르디에의 아내에게 사정을 이야기했다.

자매(姉妹) : 여자끼리의 동기. 손위 누이와 손아래 누이. 여형제.

"부탁이에요, 부인! 코제트를 맡아 주세요. 일자리를 구하면 돈을 보내 드릴게요. 아이들을 보니 당신이 좋은 어머니라는 생각이 들었어요. 잠시만 맡아 주시면 반드시 다시 데리러 올게요. 매달 6프랑씩 보내 드리지요."

그 때 여관 주인 테나르디에가 나오며 말했다.

"무슨 소리? 7프랑 이하로는 안 돼. 그리고 여섯 달치는 미리 내야 해. 아이에게 이것저것 필요할 테니 15프랑을 더 줘야 하고."

팡틴은 고개를 끄덕이며 애원했다.

"좋아요. 여섯 달이면 42프랑에, 15프랑을 더해서 57프랑을 드리죠."

"아이 옷은 전부 주고 가고."

팡틴은 그 날 밤 테나르디에의 여관에서 코제트와 마지막 밤을 보낸 뒤 이른 새벽 조용히 떠났다. 팡틴이 떠나자 테나르디에는 아내에게 말했다.

"이 돈이면 빚을 모두 갚겠는걸. 당신이 딸년들을 이용해 멋지게 돈을 벌었군, 그래."

연기 대상 감인데?
수고했어!
여보,
나 연기 잘 했어?
흑흑흑, 코제트,
건강해야 한다.

"어쩌다 보니 그렇게 됐네요."

사실 테나르디에 부부는 팡틴이 생각한 것처럼 좋은 사람들이 아니었다. 그것도 모르고 고향에 돌아간 팡틴은 아이 소식을 들으려고 편지를 써 보냈지만 답장에는 그저 잘 있다는 말뿐이었다.

그리고 여섯 달이 지나자 테나르디에 부부는 팡틴에게 한 달에 12프랑을 내놓으라고 했다. 그러고는 또 얼마 되지 않아 매달 15프랑을 내놓으라는 편지를 보내 왔다.

코제트는 테나르디에 부부의 구박을 받으며 밤낮없이 일했다. 제대로 먹지 못한 아이는 어찌나 야위었던지 아이 어머니가 보아도 전혀 알아볼 수 없을 정도였다.

하지만 그건 거짓말이야.
테나르디에는
죽은 군인들의 옷을 뒤져 돈을
훔치는 좀도둑이었지. 그러다 죽은 줄
알았던 대령이 눈을 뜨자
자기가 생명의 은인이라며
얼버무렸다고 해.

마들렌 시장

팡틴의 고향, 메르 시는 많이 변해 있었다. 흑구슬을 만드는 제조법을 새로 개발한 어느 사나이 덕분이었다. 그 발명가는 부자가 되었고 도시도 번성했다.

사나이가 메르 시에 처음 도착했을 때, 시청에 큰 화재가 났다. 그 때 그는 불 속에 뛰어들어 한 아이를 구했는데, 그 아이는 헌병대장의 아들이었다. 덕분에 그는 누구에게도 통행권을 보여 줄 필요가 없게 되었다. 그의 이름은 '마들렌' 이었다.

마들렌은 누구든 찾아와 일자리를 부탁하면 일자리를 주었다. 그 덕분에 메르 시는 공업 도시로 급속히 발전했다. 또한 모은 돈은 메르 시와 시민들을 위해 썼다.

통행권 이야기가
나오는 것이
어째 수상하구먼.
아무래도 마들렌이라는 사람
우리가 아는 사람 같은디.

얼마 지나지 않아 시민들의 존경을 한 몸에 받게 된 그는 메르 시의 시장이 되었다. 시장이 된 뒤에도 여전히 검소하게 생활했다. 출세한 사람들이 흔히 받는 시기조차 그는 받지 않았다.

하지만 의심의 눈초리로 그를 바라보는 사람이 있

었다. 자베르 형사였다. 자베르는 형사 특유의 직감과 호기심으로, 갑자기 시장 자리까지 오른 마들렌의 뒷조사를 했다. 성공한 사람들 주변에는 어디에나 이런 사람이 있게 마련이다. 하지만 자베르는 어떤 단서도 찾을 수 없었다.

마차에 깔린
노인의 이름은
'포슐방'이라고 해.

그러던 어느 날, 마차를 몰고 지나가던 노인이 말에서 떨어져 마차 밑에 깔리는 사고가 생겼다. 마침 그 곳을 지나던 마들렌은 곧바로 마차로 달려갔다.

"기중기起重機가 도착하려면 얼마나 걸리지?"

"빨라도 15분은……."

"너무 늦어! 누구든 도와 주시오. 함께 수레를 들어올리면 노인을 살릴 수 있소. 도와 준다면 금화 다섯 닢을 주겠소."

모두들 잠자코 있었다. 그 때 자베르가 나타났다.

기중기(起重機) : 썩 무거운 물건을 들어올리거나 옮기는 기계.

"제가 그런 일을 할 수 있는 사람을 하나 알지요. 그는 툴롱 교도소에 있었던 죄수라오."

뜬금없는 자베르 형사의 말에 마들렌은 얼굴이 새파래졌다. 그러는 동안 무거운 수레는 점점 더 내려앉아 노인을 짓눌렀다.

자베르 앞에서 잠시 망설이던 마들렌은 누가 말릴 틈도 없이 수레 밑으로 들어갔다. 하지만 무게로 인해 점점 더 내려앉았고 둘 다 빠져 나올 수 없다고 생각했을 때, 그 육중한 수레가 조금 들어올려졌다. 그제야 사람들은 달려들어 노인과 마들렌을 구했다. 모두들 마들렌의 행동에 감동했지만 자베르는 싸늘한 표정으로 웃고 있었다.

악랄한 테나르디에

고향에 돌아왔을 때, 아무도 팡틴을 반기지 않았다. 하지만 마들렌의 공장에서 일을 준 덕분에 팡틴은 혼자 생계를 꾸려 나갈 수 있었다.

하지만 세상에는 남의 일에 참견하기 좋아하는 사람들

우오오
고마워요.
이 늙은이를 위해
목숨까지 내놓다니…….
와아!
대단하다!

공장의 감독은 왜
팡틴의 얘기를 듣지도 않고
내쫓은 걸까?
그녀의 미모를 질투해서?

이 있게 마련이다. 한 여자가 팡틴의 뒤를 캤다.

그 여자는 팡틴이 매달 몽페르메유의 한 여관으로 돈과 편지를 보낸다는 사실을 공장工場의 여감독에게 고자질했다. 팡틴이 결혼도 하지 않고 아이를 낳아 키우는 사실이 알려지자, 여감독은 정숙하지 못한 여자를 직원으로 쓸 수 없다며 공장에서 내쫓았다. 팡틴이 아무리 울며 애원을 해도 소용 없었다.

쫓겨난 팡틴은 가정부 노릇이라도 하려고 했지만 아무도 받아 주지 않았다. 과거의 일들이 이미 다 알려졌기 때문이었다.

팡틴은 일꾼들의 내의를 깁는 일로 매일 12수씩 벌었다. 하지만 하루에 12수씩 벌어서는 딸에게 필요한 돈을 보낼 수 없었다.

공장(工場) : 근로자가 기계 등을 사용하여 물건을 가공 · 제조하거나 수리 · 정비하는 시설.

더구나 테나르디에는 계속해서 이런저런 구실로 더 많은 돈을 요구해 왔다.

코제트에게 입힐 털 스커트가 필요하니 10프랑을 보내라는 편지가 왔을 때 팡틴은 아름다운 금발을 팔았다. 얼마 뒤, 테나르디에는 코제트가 큰 병에 걸렸다고 속여 치료비治療費로 40프랑(1프랑=20수)을 보내라고 요구했다. 딸이 죽어 간다는 편지를 받은 팡틴은 떠돌이 치과 의사에게 앞니 두 개를 팔아 40프랑을 만들어 보냈다.

그러나 점점 더 돈에 욕심이 생긴 테나르디에는 100프랑을 즉시 보내지 않으면 코제트를 내쫓겠다는 협박을 하기에 이르렀다. 하지만 팡틴에게는 당장 답장을 할 우편료조차 없었다.

"코제트를 위해서라면 뭐든 할 수 있어. 코제트, 이 못난 엄마를 용서해 다오."

불쌍한 팡틴은 결국 거리의 여자가 되었다.

치료비(治療費) : 병이나 상처를 다스려서 낫게 하는 데 드는 돈.

그로부터 9개월 뒤, 어느 눈 오는 날 저녁에 시내에서 작은 소동이 일어났다.

"감히 네가 날 할퀴고 발로 차?"

성난 남자가 외쳤다.

"당신이 먼저 내 등에 눈을 넣었잖아요. 안 그래요?"

그 여자는 팡틴이었다. 그 때 한 사나이가 그녀를 붙잡았다.

"따라와."

팡틴의 얼굴은 파랗게 질렸다. 자베르 형사였다. 자베르는 경찰에겐 약한 자들을 처벌하고 때로는 자유를 빼앗을 권리가 있다고 믿는 사람이었다.

추운 겨울날,
덜덜 떨고 있는데 모르는 사람이
차가운 눈을 옷 속에
넣었다고 생각해 봐.
정말 화나지.

"넌 6개월 감옥살이야."

"6개월이라고요? 제가 뭘 어쨌다고 감옥에 가두겠다는 건가요. 내가 없으면 내 딸은 길바닥으로 쫓겨날 거예요. 제발 용서해 주세요. 처음부터 그 상황을 보셨다면 제 잘못만은 아니라는 걸 아실 거예요, 제발 부탁드려요."

팡틴은 큰 소리로 울며 연방 기침을 해 댔다. 끊이지 않는 기침 때문에 팡틴의 마른 몸이 괴롭게 들썩거렸다. 어지간한 사람이라면 그 모습을 보고 마음이 움직였겠지만 자베르는 달랐다. 그는 팡틴을 경찰서로 끌고 갔다.

"밖에서 몇 시간째 떨고 있는데, 누가 등에 차가운 눈덩이를 넣었다고 생각해 보세요. 누구라도 화가 날 거예요. 아니, 제가 잘못했어요. 그분께 용서를 빌게요. 자베르 형사님, 제 딸은 아직 어려요. 제발 저를 불쌍하게 여겨 주세요."

"됐어. 너는 징역 6개월이야. 그건 하느님이라도 별수 없으니 조용히 해!"

경찰들은 팡틴의 팔을 붙잡고 감옥으로 끌고 가려고 했다. 그러자 조금 전부터 팡틴의 절망적인 하소연을 모두 듣고 있던 마들렌 시장市長이

무슨 경찰이 저래?
'경찰은 민중의 지팡이'란
말도 모르나?

시장(市長) : 시의 행정을 관장하는 직, 또는 그 직에 있는 사람.

나섰다.

"풀어 주게."

"그건 안 됩니다."

"어째서?"

마들렌이 자베르에게 물었다.

"이 여자는 시민을 폭행했습니다."

"자베르, 목격자도 많고 나도 이야기를 들었네. 잘못한 자는 그 사나이일세. 체포해야 할 사람도 그자고."

"이런 일은 경찰관이 된 이래 처음이군요. 부디 제가 정당한 권리를 행사하고 있다는 걸 알아주세요, 마들렌 시장님!"

"다시 말하지만, 풀어 주게."

자베르는 부르르 떨었다. 그는 생전生前 처음, 모욕감을 느꼈다. 도대체 이 보잘것없는 여자 따위가 무엇이기에 시장이 저렇게 나선단 말인가. 자베르는 마침내 최후의

생전(生前): 살아 있는 동안. 죽기 전.

시, 시장님…….
시장님은
상관 말아요!
자베르,
이 여자를 풀어 줘.

결단을 내려야겠다고 생각하고는 그 자리를 박차고 나가 버렸다.

자베르가 나가 버린 후, 마들렌 시장은 다정한 목소리로 말했다.

"본의 아니게 이야기를 듣게 됐소. 내가 딸과 함께 살 수 있도록 돕겠소."

코제트와 함께 살 수 있다니! 팡틴은 가슴이 벅차올랐다. 그러나 긴장이 풀어지자마자 그 자리에서 기절해 버렸다. 팡틴은 이미 몹쓸 병에 걸려 있었던 것이다. 마들렌은 팡틴을 자신의 저택에 있는 병실로 옮기고 수녀에게 간호를 부탁했다. 그는 팡틴을 돕기 위해 그녀의 불행한 과거를 모두 알아보았다.

마들렌은 요구하는
돈을 팡틴 대신 모두 내주었어.
하지만 욕심많은 부부는
돈을 보자 마음이
바뀌었겠지?

"정말 모진 고생을 했더군요. 그러나 그것은 지옥을 벗어나 천국으로 가는 과정이었소. 당신은 하느님의 축복을 받을 것이오."

마들렌은 테나르디에 부부에게 코제트를

돌려보내라고 편지를 썼다. 그리고 그들이 요구하는 돈을 보냈다. 하지만 테나르디에 부부는 이런저런 핑계를 대면서 코제트를 보내지 않고 돈을 더 뜯어 낼 궁리만 했다. 마들렌은 아이를 돌려보내 달라는 편지에 팡틴에게 서명을 하게 했다. 그리고 자신이 직접 가서 코제트를 데려오기로 했다. 팡틴은 병이 점점 깊어졌지만 다시 딸을 만날 수 있다는 희망으로 하루하루를 견뎌 냈다.

숨통을 조여 오는 자베르 형사

어느 날 아침, 마들렌은 사무실에서 몇 가지 업무를 보고 있었다. 빨리 처리해야 할 일을 끝낸 후에 직접 코제트를 찾으러 몽페르메유로 갈 생각이었다. 그 때 자베르가 찾아왔다.

"무슨 일인가, 자베르?"

"한 하급 관리가 행정관을 모독했습니다. 그 사실을 보고드리려고 왔습니다."

"그래? 그 관리가 누군가?"

파면은
공무원의 신분을
박탈하는
것을 말해.

"접니다."

"자네라고?"

"그럼 그 행정관은 누군가?"

"시장님입니다. 시장님, 저의 파면을 요청합니다. 잘못을 저질렀으니 파면을 당해야 합니다."

"무슨 잘못을 했단 말인가?"

"시장님을 고발했습니다."

"내가 경찰의 권리를 침해했다는 죄목으로 말인가?"

"아닙니다. 시장님을 오래 전에 도주한 범죄자로 고발했습니다. 지금껏 시장님을 관찰하면서 시장님을 장 발장이라고 생각해 왔기 때문입니다."

참고로 자베르 형사는
옛날에 툴롱 교도소에서
근무했지. 과거 장 발장이
갇혀 있었던
그 교도소 말이야.

"뭐, 뭐라고? 방금 뭐라고 했나?"

"8년 전에 교도소에서 나온 장 발장은 어느 주교의 집에서 은그릇을 훔치고 한 아이에게서 돈을 빼앗았습니다. 그 후 감쪽같이 자취를 감춰 버렸죠. 하지만 수사는 계속되고 있었습니다. 제 생각엔 그자가 아무래도 시장님인

뮤지컬 <레 미제라블>의 첫 장면에도 툴롱 교도소에서 노래를 하는 장 발장과 자베르가 등장한다지?

것 같아서 그만 경시청에 고발해 버렸습니다."

"그래서?"

마를렌 시장은 태연히 응수했다.

"그런데 얼마 전 한 시골 마을에서 사과를 훔치던 진짜 장 발장이 잡혔습니다. 장 발장과 같은 교도소에 있던 전과자 브르베도 그가 장 발장이라고 증언했습니다. 게다가 저 역시 그를 만나 봤더니, 장 발장이 분명했습니다. 그러고 나니 제가 어떻게 그런 엉뚱한 생각을 했는지 몹시 부끄러워지더군요. 죄송합니다, 시장님."

"그렇다면 그자는 어떻게 되는 건가?"

"사과를 훔치는 것은 경범죄지만, 그가 장 발장이라면 얘기가 달라집니다. 오래 전 범죄를 저지르고 도주逃走했던 그에게는 그것이 아주 큰 죄가 됩니다. 아마도 종신형에 처해지겠죠. 그런 사실을 알고 그자는 자신이 장 발장

도주(逃走) : 도망.

마들렌의 정체는 바로
장 발장이었군.
그럼 자베르가 말하는
사람은 누구야?

이 아니라 상마티외라고 우기고 있습니다. 증거와 증인이 충분한데도 말이죠. 그는 아마 지금쯤 아라스의 재판소에 있을 겁니다. 저도 내일 그 쪽으로 갑니다."

"알았네. 하지만 지금 내가 할 일이 많으니 그만 나가 주게."

"시장님, 저는 뚜렷한 증거도 없이 시장님을 범죄자라고 고발했습니다. 만약 제 부하가 그랬다면 저는 그를 당장 파면시켰을 것입니다."

"알겠소. 하지만 지금은 그런 얘기를 나눌 시간이 없소. 나중에 봅시다."

"그럼, 제 후임이 올 때까지만 일을 하겠습니다."

자베르는 밖으로 나갔고 멀어져 가는 그의 발소리를 들으며 마들렌은 생각에 잠겼다. 그는 자신을 숨기고 이 고장에 와서 성공을 했다. 범죄자가 아니라 존경받는 시장으로 살며 어렵게 사는 사람들을 도왔다. 목숨을 걸고 아이를 구출했고 자베르가 의심의 눈초리로 보고 있는데도

아아, 내가 장 발장이라고 밝히면
샹마티외를 구할 수 있다.
그러나 내가 마들렌 시장으로 남는다면
팡틴을 비롯한 다른
불쌍한 이들을 구할 수 있다.
시장님,
그 동안 죄송했습니다.
그럼 안녕히…….

마들렌으로 남느냐,
장 발장으로 돌아가느냐.
으으……
그것이 문제로다!

몸을 던져 마차에 깔린 노인을 구했다.

자베르의 이야기를 들었을 때 그는 당장 달려가서 자신이 장 발장이라는 것을 밝히고 상마티외를 풀어 주어야 한다고 생각했다. 하지만 자신의 자리를 지킨다면 훨씬 더 많은 사람을 구할 수 있을 거라는 생각이 들어 잠시 망설였다.

'지금 내가 장 발장이라는 것을 시인하면 팡틴과 코제트는 영영 만나지 못할 거야. 우리 공장에서 일하던 사람들도 일자리를 잃겠지? 내가 사라지면 모든 게 멈춰 버려. 아, 상마티외 한 사람을 위해 그들을 등져야 하는 것인가?'

몽페르메유냐,
아라스냐.
으악! 이것도 문제로다!

마들렌은 서둘러 증거가 될 만한 것들을 찾아 벽난로에 넣어 버렸다. 자신이 어디서 왔는지 잊지 않기 위해 간직했던 누더기와 지팡이를 태워 버린 것이다. 하지만 그의 양

심만은 결코 태울 수 없었다. 이 지독至毒하게 불행한 사나이는 새벽이 될 때까지 잠들지 못했다.

아라스의 장 발장

다음 날 아침, 마들렌은 몽페르메유가 아닌 아라스로 향했다. 꽤 시간이 많이 걸렸지만 재판이 끝나기 전에 재판소에 도착할 수 있었다.

마들렌이 막 재판소에 들어서려는 순간 수위가 그를 막았다.

"지금은 들어갈 수 없습니다."

"왜요?"

"빈 자리가 없습니다."

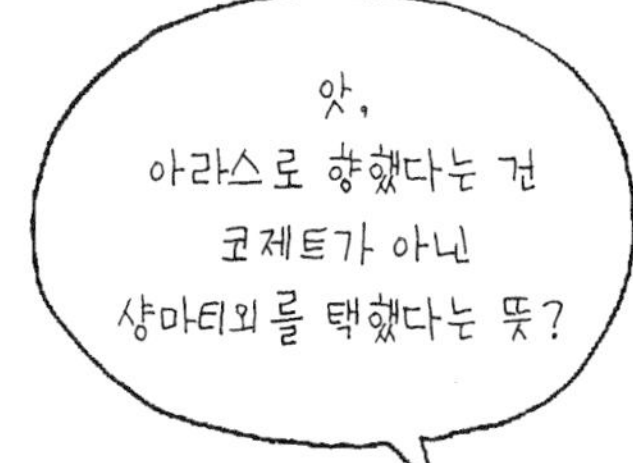

마들렌은 쪽지를 꺼내 '메르 시 시장 마들렌' 이라고 서명을 했다. 그리고 그 쪽지를 재판장에게 전하라고 했다. 마들렌 시장에 대한

지독(至毒) : 더할 나위 없이 독함. 매우 심하거나 모짐.

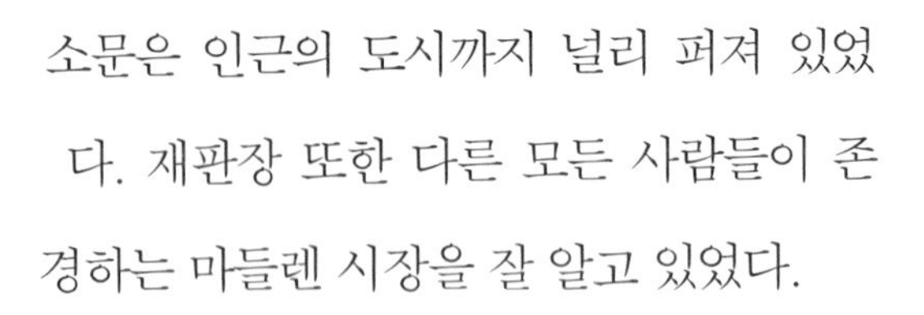

소문은 인근의 도시까지 널리 퍼져 있었다. 재판장 또한 다른 모든 사람들이 존경하는 마들렌 시장을 잘 알고 있었다.

재판장은 마들렌이 특별 방청석에 앉도록 조치를 취해 주었다. 재판정으로 들어가는 문 앞에서 그는 잠시 망설였지만 결국 손잡이를 돌려 안으로 들어섰다.

재판정에 들어선 마들렌은 한동안 꼼짝도 못했다. 판사와 변호사, 검사 그리고 자신을 대신해 법정에 서 있는 상마티외를 볼 수 있었다.

그 순간 그는 두려움으로 온몸을 바르르 떨었다. 마들렌 시장, 그러니까 장 발장도 27년 전에 상마티외가 서 있는 자리에 섰던 적이 있었다. 그 때의 일이 떠오르자 목이 따끔거리며 숨을 제대로 쉴 수 없었다.

"나는 상마티외요. 어디서 태어났는지도 모르는 가난하고 배우지 못한 사람일 뿐이요. 사과도 훔치지 않았고 은그릇이며 은전 따위는 본 적도 없소."

검사는 재판장을 향해 말했다.

"재판장님, 피고는 자신의 죄도 인정認定하지 않고 자신의 신분도 부정한 채, 얕은 꾀를 부려 우리를 속이려 하고 있습니다. 그러니 증인을 불러 그가 장 발장인지 아닌지를 확인할 수 있도록 허락해 주십시오."

증인석에 장 발장과 같은 교도소에서 복역했던 브르베가 나왔다. 그는 피고를 한 번 바라보더니 확신에 찬 목소리로 말했다.

"틀림없습니다. 나이가 좀 들었지만 장 발장이 확실합니다."

교도소의 다른 동기들도 불려 나왔다.

"맞습니다. 나와 함께 5년이나 같은 사슬에 묶여 있었는걸요. 이봐, 장 발장! 왜 거짓말을 하나?"

코슈파유 역시 그자가 장 발장이 맞다고 주장했다. 샹

인정(認定) : 확실히 그렇다고 여김.

마티외는 미친 듯이 소리를 질러 댔다.

"잘들 꾸며 대시는군."

재판장이 말했다.

"수위, 장내를 조용하게 하시오. 이제 배심원의 평결을 듣겠소."

배심원들이 유죄 평결을 내리면 상마티외는 장 발장을 대신해 평생을 감옥에서 보내게 될 것이다. 그 때 재판장 바로 옆에서 누군가가 일어나 큰 소리로 이렇게 외쳤다.

"잠깐! 브르베, 코슈파유! 여길 봐!"

사람들의 시선이 일제히 그에게 쏠렸다. 그리고 모두 그가 마들렌 시장이라는 것을 알아보고 깜짝 놀랐다.

"자네들, 나를 모르겠는가? 나야, 장 발장! 배심원 여러분 그리고 재판장님, 여러분이 찾고 있는 죄인은 저 사람이 아니라 바로 접니다."

그러자 검사가 이렇게 말했다.

"여러분, 이 분은 존경할 만한 인물로 명성이 자자한

마들렌 씨입니다. 아무래도 마들렌 씨에게 무슨 문제가 생긴 모양입니다. 만약 이 자리에 의사가 계신다면 이분을 집으로 모셔 가 주시기 바랍니다."

마들렌은 검사의 말이 끝나자마자 이렇게 말했다.

"나는 정신이 나간 것이 아닙니다. 나는 '마들렌'이라는 이름으로 돈을 벌었고 시장이 되었습니다. 그러나 사실 나는 8년 전 주교의 물건을 훔치고 어린아이의 은전을 빼앗았던 장 발장이라는 죄인입니다. 더 이상 아무 변명도 하지 않겠습니다. 나를 체포하세요."

아무도 그의 말을 믿지 않았다. 그러자 마들렌은 증인證人들을 향해 말했다.

"브르베, 내가 교도소에서 입던 바둑판 무늬로 짠 바지와 멜빵을 기억하나? 코슈파유, 네 왼쪽 팔에는 푸른색으로 날짜가 쓰여 있어. 1815년 3월 1일이라고. 소매를 걷어 봐."

증인(證人) : 어떤 사실을 증명하는 사람.

마들렌 시장님,
어디 아픈 거 아냐?
웅성웅성
휴우, 살았다.
어라?
진짜 장 발장이네?
1815. 3. 1
친구들,
나를 기억 못하겠어?

코슈파유가 소매를 걷자, 과연 마들렌이 말한 날짜가 적혀 있었다. 더 이상 다른 설명이 필요 없었다.

"저에게 몇 가지 해결해야 할 일이 있습니다. 그 일을 끝내고 감옥으로 가겠습니다. 검사님은 내가 어디에 살고 있는지 알고 계시니 언제든지 저를 체포하실 수 있을 겁니다."

그가 이 말을 남기고 걸어 나가자, 사람들은 길을 비켜 주었다. 아무도 그를 붙잡지 않았다. 그것으로 재판은 끝났고 배심원은 샹마티외를 석방釋放했다.

마들렌은 팡틴의 병실을 찾아갔다. 그녀는 마들렌을 보자마자 코제트를 찾았다.

"코제트는? 왜 함께 오지 않으셨나요?"

"걱정 말아요. 아이는 올 거요. 하지만 당신은 안정을 취해야 해요. 몸이 좀 더 좋아지면 그 때

사실 그는 코제트가 있다는
몽페르메유 쪽으로는
가지도 않았어.
하지만 팡틴이 실망할까 봐
거짓말을 하는 거라고!

석방(釋放) : 잡혀 있는 사람을 용서하여 놓아 줌.

성질 한번 급하군.
정의의 사나이 장 발장이
도망이라도
칠 것 같아?

아이를 만나도록 합시다."

"어머, 저는 다 나았어요. 그리고 지금 코제트를 만나고 싶어요."

"당신은 흥분해 있소. 아이는 만날 수 없어요."

그 때 자베르가 병실로 뛰어들어왔다. 마들렌이 증언을 마치고 재판소를 빠져 나간 후, 검사는 그제야 체포 명령을 내린 것이다. 자베르는 마치 지옥에 떨어진 영혼을 발견한 악마처럼 마들렌 앞에 나타났다.

"자, 갑시다."

자베르는 한 마디 설명도 없이 그렇게 말했다. 지난 5년간 거대한 산처럼 여겨졌던 마들렌, 아니 장 발장이 지금 자기 손아귀에 있는 것이다. 팡틴은 갑작스런 사태에 놀랐다. 마들렌은 자베르에게 부탁했다.

"자베르, 내게 사흘만 시간을 주게."

"도망치려는 수작인가?"

팡틴은 온몸을 부르르 떨며 말했다.

"마들렌 시장님, 코제트는? 우리 코제트는!"

"이자는 시장이 아니야. 범죄자일 뿐이지."

충격衝擊을 받은 팡틴은 정신을 잃고 쓰러졌다.

"그만! 당신이 이 여자를 죽이고 있소."

마들렌은 자베르에게 소리쳤지만 자베르는 들은 척도 하지 않았다.

"잠시만, 잠시만!"

자베르는 그 말에 흠칫 뒤로 물러섰다. 마들렌은 두 손으로 팡틴의 머리를 쓰다듬으며 죽어 가는 그녀의 귀에 무슨 말인가를 속삭였다. 그러자 팡틴의 얼굴에 잠시 빛이 감돌았고 곧 편안하게 숨을 거두었다. 마들렌은 그녀의 눈을 감겨 주었다. 그리고 자베르를 향해 말했다.

"자, 체포하시오."

가까이 있을 땐
그렇게 따르더니, 금방
마음을 돌리다니!
아! 군중의 마음은
갈대와 같아라!

충격(衝擊) : 심한 마음의 동요. 심한 자극.

마들렌은 시 교도소에 수감되었다. 그가 전과자 장 발장이라는 소문이 퍼진 지 채 하루도 안 되어 사람들은 그의 선행을 모두 잊어버렸다. 그는 그렇게 다시 감옥에 갇혀 살아가게 되는 듯했다.

그러나 마들렌, 아니 장 발장은 얼마 뒤에 감옥을 탈출했다. 그는 수녀를 찾아가, 신부에게 충분한 돈을 맡길 테니 팡틴의 장례를 치러 주고 남은 돈은 가난한 사람들을 위해 써 달라고 부탁했다. 그리고 파리로 급히 도망쳤다.

그 후 장 발장을 보았다는 목격자가 몇 사람 나타났지만, 아무도 장 발장이 어디에 있는지 어디로 갔는지 알 수 없었다.

그러나 얼마 뒤, 장 발장이 다시 붙잡혔다는 소문이 떠돌았다. 그 즈음 신문에는 이런 기사들이 실렸다. 한 신문에 실린 1823년 7월 15일자 기사의 내용이다.

메르 시에서 이상한 사건이 일어났다. 마들렌이라는 사람이 몇 년 전부터 새로운 흑구슬 가공 사업으로 고장을 부흥

시켜 시장이 되었다. 그런데 경찰은 그가 19년간의 수감 생활을 마치고 출옥하자마자 다시 절도죄를 저지른 장 발장이라는 사실을 알아 내, 급히 체포했다. 체포되기 직전 마들렌 시장은 은행에 예치해 두었던 50만 프랑의 돈을 찾았다. 그 돈은 물론 합법적으로 번 돈이다. 하지만 장 발장이 교도소에 들어가기 전에 그 돈을 어디에 감추어 두었는지 아는 사람은 아무도 없다.

같은 날짜의 파리 신문에 실린 다른 기사도 볼 수 있다.

숲 속에 숨겨 두었지.
필요할 때 조금씩 꺼내 쓰려고.
아마 평생 써도 남을 만큼
많은 돈일걸?

장 발장이라는 절도범은 경찰의 경계망을 벗어나 이름을 바꾸고 한 소도시의 시장이 되었다. 그의 힘으로 도시는 발전했지만, 경찰의 꾸준한 수사로 장 발장임이 밝혀져 결국 체포되었다. 장 발장은 엄청난 힘과 재주로 탈옥에 성공했으며, 사흘 뒤 파리에서 몽페르메유 마을로 가는 마차에 타려다 다시 체포되었다. 장 발장은 탈옥 도중

죄수 장발장
탈옥하다 다시 잡혀
의로운 죄인 장발장
물에 빠진 수병을 구해 내고
자신은 익사해
마들렌 시장,
사실은 범죄자인 것으로 밝혀져

은행에 맡겼던 돈을 인출했는데, 무려 60~70만 프랑에 이른다고 한다. 하지만 그 돈은 아직 발견되지 않았다. 이 죄인은 변호를 거부했으며 결국 유죄로 사형을 선고받았다. 그러나 관대하신 국왕께서는 무기 징역으로 감형해 주셨고, 장 발장은 즉시 툴롱 교도소로 옮겨졌다.

1823년 11월 17일자 툴롱 신문은 이렇게 전했다.

어제, 오리옹 호에서 노동 중이던 죄수 장 발장이 바다에 빠진 수병을 구하고 자신은 바다에 빠져 죽었다. 시체는 발견되지 않았다.

자, 장 발장이 죽었단 말이야?
에이, 주인공이 설마 벌써 죽겠어? 끝까지 읽고 얘기하자고!

3장
코제트, 코제트

재투성이 소녀 코제트

몽페르메유는 지대가 높아 늘 물이 부족했다. 때문에 물을 길어 오기 위해서는 마을에서 꽤 멀리 떨어진 숲 속까지 올라가야 했다.

테나르디에는 물 긷는 일을 늘 어린 코제트에게 시켰다.

팡틴의 딸
코제트가 벌써 이렇게
자랐단 말이야?
그 땐 정말 어린
아이였는데…….

코제트는 여러 모로 쓸모가 있었다. 테나르디에는 팡틴이 죽어 양육비를 더 이상 받을 수 없게 된 후에도 코제트를 계속 데리고 있었다. 하녀처럼 실컷 부려먹을 수 있기 때문이었다.

코제트는 밤에 물을 길어 오는 것을 가장 두려워했다. 그런데 어느 날, 여관에 새로운 손님이 들었기 때문에 코제트는 어쩔 수 없이 밤늦게 물을 길어 와야 했다.

"어서 물을 길어 와. 돌아올 때 빵도 사 오고."

코제트는 테나르디에의 아내로부터 은전 15수를 받아, 앞치마에 넣고는 물통을 들고 밖으로 나갔다.

코제트가 살고 있는 여관 앞에는 노점들이 줄지어 있었고 그 끝에 장난감 가게가 있었다. 가게 앞을 지나던 코제트는 다른 아이들처럼 진열장 안을 들여다보았다. 거기에는 예쁜 인형이 있었다. 코제트는 그 인형을 '아씨' 라고 불렀다.

"거기서 뭐 해! 너 몇 대 맞아야 정신을 차릴래?"

테나르디에의 아내가 소리쳤다. 코제트는 깜짝 놀라 물통을 들고 숲으로 달려갔다. 이윽고 숲의 어둠이 소녀를 감쌌다. 매일 다니는 길이라 익숙했지만 밤이기 때문에 두려웠다. 샘가에 다가간 소녀는 얼른 샘물을 길었다. 그

아, 코제트,
코제트…….
내 것도 들어 줘.
무겁단 말이야.
제 이름은
코제트예요.

러다 그만 앞치마에 넣어 두었던 15수가 물 속에 빠져 버렸다. 코제트는 그것을 알지 못했다.

어린 코제트가 들기에 물통은 너무 무거웠다. 손은 얼어서 빨갛게 되었다. 코제트는 한 걸음 걷다가 쉬고 다시 걷다가 쉬었다. 좀 더 빨리 가고 싶었지만 뜻대로 되지 않았다.

그 때 갑자기 물통이 가벼워졌다. 큰 손이 나타나 물통을 번쩍 들어올렸기 때문이다. 코제트는 조금 놀랐지만 이상하게도 무섭지는 않았다. 어둠 속에서 나타난 그 사나이는 코제트에게 아주 점잖고 나지막한 목소리로 말했다.

"내가 들어다 주마."

코제트는 물통을 건넸다.

"넌 몇 살이니?"

"여덟 살이에요."

"그런데 왜 이렇게 멀리까지 물을 길러 오니? 엄마는 어디 가셨니?"

자, 여기서 문제!
이 사내는 누구일까요?
1번 자베르,
2번 테나르디에,
3번 장 발장!
성격으로 보면
별로 어렵지 않지?

"전 엄마가 없어요."

사나이는 걸음을 멈추고 물통을 땅에 내려놓았다. 그리고 어둠 속에서 코제트의 어깨를 잡고 작은 얼굴을 들여다보았다.

"이름이 뭐니?"

"코제트!"

사나이는 흠칫 놀랐다.

"대체 누가 이렇게 늦은 시간時間에 아이를 어두운 숲 속에 보내는 거지?"

"테나르디에 아주머니가요!"

사나이는 내려놓았던 물통을 들고 다시 걸으며 말했다.

"뭘 하는 사람인데?"

"여관 주인이에요."

"여관이라……, 마침 잘 데를 찾아야 했는데. 잘

시간(時間) : 어떤 시각에서 다른 시각까지의 동안, 또는 그 길이.

되었구나. 나를 그리로 안내해 주겠니?"

"그럴게요."

코제트는 빵을 사 가야 한다는 것도 잊은 채, 사나이와 함께 여관에 도착했다. 코제트는 사나이에게 물통을 달라고 했다.

"왜?"

"제가 들어야 해요. 다른 사람이 도와 주는 걸 보면 아주머니한테 혼나거든요."

사나이는 물통을 넘겨주었다. 그 때 테나르디에의 아내가 촛불을 켜 들고 밖으로 나왔다.

"왜 이리 늦어? 어디서 놀다 온 게냐?"

코제트는 벌벌 떨며 말했다.

"이분이 여기서 주무신대요."

테나르디에의 아내는 미소를 띠고 손님을 맞았다. 그러나 사나이가 초라한 옷을 입고 있는 것을 보고는 이내 쌀쌀맞은 태도를 취했다.

"들어와요."

테나르디에의 아내는 사나이의 다 떨어진 코트와 낡은 모자를 살피더니, 남편에게 눈짓을 했다.

"방이 없는데……."

"헛간이나 마구간도 괜찮소. 돈은 지불支拂하죠."

"그럼 40수요."

원래는 20수였지만, 테나르디에는 40수라고 말했다. 사나이는 아무 말 없이 짐과 지팡이를 내려놓고 식탁에 앉아 포도주를 주문했다. 사나이는 포도주를 마시며 코제트를 지켜보았다. 밝은 곳에서 보니 코제트의 몸은 몹시 야위어 있었고 두 눈은 퉁퉁 부어 있었다.

"참, 빵은?"

코제트는 깜짝 놀라 앞주머니를 뒤져 보았다. 은전이 없었다.

"이런, 잃어버렸다는 핑계로 돈을 훔칠 수작이냐?"

테나르디에의 아내는 채찍을 찾아들었다.

지불(支拂) : 돈을 내어 줌. 또는 값을 치름.

"잘못했어요. 다시는 안 그럴게요."

그 때 사나이가 나서서 말했다.

"아까 그 아이 주머니에서 이게 떨어지던데. 혹시 이걸 찾고 있소?"

사나이는 20수짜리 은전 한 닢을 내밀었다. 테나르디에의 아내는 자신이 준 돈이 아니라는 것을 알았지만, 모르는 척 받아 넣었다.

"코제트, 다음에 또 이런 일이 있을 땐 용서하지 않을 거야!"

그 때 테나르디에의 두 딸이 들어왔다. 큰딸 에포닌과 작은딸 아젤마였다. 그들은 시골 아이답지 않게 고급스러운 옷을 입고 있었다. 밝게 웃고 떠드는 모습이 코제트와는 달랐다. 두 소녀는 코제트는 거들떠보지도 않고 자기들끼리 인형人形을 가지고 놀

같은 은화지만
테나르디에 부인이 준 돈은
15수짜리 은전이었어.
장 발장은 그보다 비싼 20수짜리
은전을 내밀었던 거고.

인형(人形) : 사람의 형상을 본떠 만든 장난감.

았다. 코제트는 이제까지 단 한 번도 인형을 가져 본 적이 없었다. 테나르디에의 아내는 코제트에게 다시 소리쳤다.

"어서 일해! 그렇지 않으면 내일 아침은 없어."

사나이는 테나르디에의 아내에게 말했다.

"이보시오, 늦은밤에 아이가 할 일이 뭐가 있다고 그러십니까?"

"이 양말들을 기워야 해요."

"그럼 그 양말을 내가 사겠소."

사나이는 5프랑을 내밀었다. 그리고 코제트를 향해 이제 놀아도 좋다고 말했다.

에포닌과 아젤마!
두 딸들의 이름도 기억하자고!
특히, 에포닌의 이름을
잊지 마세용~.

에포닌과 아젤마는 인형놀이에 싫증을 느꼈는지 고양이를 데리고 놀고 있었다. 코제트는 내팽개쳐진 인형을 집어 들었다. 하지만 곧 아젤마가 자기 인형을 가지고 노는 코제트를 발견했다.

"엄마, 코제트가 내 인형을 가지고 놀아."

테나르디에의 아내는 길길이 날뛰었다.

"아이가 인형을 가지고 노는 게 잘못인가요?"

이번에도 사나이가 나서서 말했다.

"저 더러운 손으로 내 딸의 인형을 만지잖아요."

테나르디에의 아내는 무척 화를 냈고 코제트는 서럽게 울었다. 사나이는 문을 열고 밖으로 나갔다. 사나이가 없는 틈에 테나르디에의 아내는 코제트를 발로 한 번 걷어찼다.

다시 돌아온 사나이의 손에는 코제트가 그토록 가지고 싶어했던 '아씨'가 들려 있었다. 모두 깜짝 놀랐다. 그 인형은 40프랑은 줘야 살 수 있었기 때문이다. 사나이는 코제트에게 인형을 선물했다.

물통을 들고
집으로 돌아오는 길에,
코제트가 인형을 한참
바라보는 것을 장 발장이
눈여겨본 거겠지?

"받아도 돼요?"

"그럼, 귀여운 코제트야. 너에게 주는 선물이란다."

테나르디에의 아내는 갑자기 태도를 바꿔 말했다.

"선생님, 이제 그만 주무시죠?"

테나르디에는 사나이를 아주 비싼 방에 묵게 했다. 그

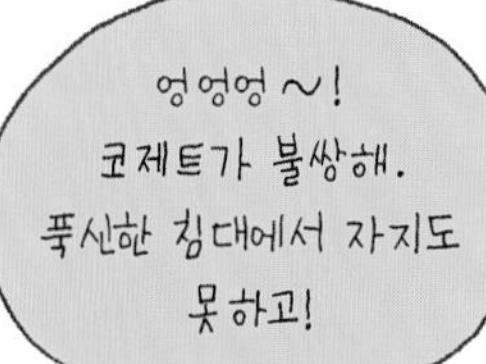
엉엉엉~!
코제트가 불쌍해.
푹신한 침대에서 자지도
못하고!

는 사나이를 방으로 안내하고 돌아왔다.

"코제트를 쫓아 내요. 그 계집애가 그 인형을 가지고 노는 꼴을 보고 싶지 않아요."

"알아서 해."

테나르디에 부부의 방에 불이 꺼지자 사나이는 촛불을 들고 방을 나와 코제트를 찾았다. 코제트는 헛간으로 이어지는 계단의 틈바구니에서 자고 있었다. 추운지 몸을 웅크리고 있었다.

다음 날, 사나이는 떠날 준비를 하며 테나르디에 부부에게 말했다.

"내가 이 애를 데려가겠소. 이 집에서는 천덕꾸러기인 모양이니."

테나르디에의 아내는 코제트를 쫓아 낼 생각이었기 때문에 그 말에 순순히 응했다. 하지만 테나르디에는 코제트를 데려가는 대신 1,500프랑을 내라고 했다. 사나이는 망설임 없이 1,500프랑을 지불하고 코제트를 데리고 나갔다.

사나이가 떠난 후, 테나르디에의 아내는 남편에게 투덜거리며 말했다.

"겨우 1,500프랑을 받고 코제트를 내주다니요. 1만 5,000프랑이라고 해도 주었을 텐데."

테나르디에는 아차 싶었다. 그리고 황급히 코제트와 사나이를 뒤쫓았다. 테나르디에는 언덕을 돌아 정신 없이 뛰어갔다. 덤불 저 쪽에서 사나이와 코제트가 앉아 쉬고 있는 것이 보였다. 테나르디에는 그들 앞에 불쑥 모습을 드러냈다.

"죄송합니다만 이 돈을 돌려 드리려고요. 코제트를 다시 데려가야겠습니다."

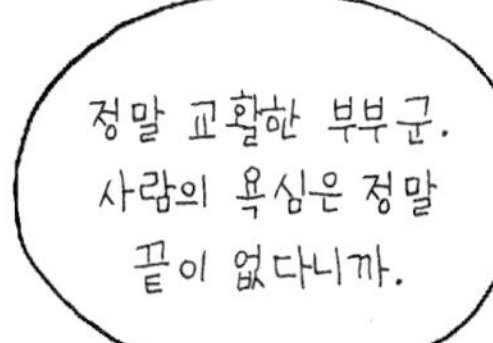
정말 교활한 부부군.
사람의 욕심은 정말
끝이 없다니까.

"그게 무슨 말이오?"

"사실 아이 엄마가 찾아올 때까지 보살펴 주기로 했거든요. 아무에게나 아이를 줘 버리는 건 옳지 못한 일인 것 같네요."

사나이는 잠자코 주머니를 뒤적거렸다. 테나르디에는 사나이가 돈을 더 주려는 줄 알고 기뻐했다.

앗,
마들렌이 시장으로 있을 때,
팡틴에게 어떤 편지를 쓰고
서명을 하게 했던
일이 있었지!

'옳지. 드디어 돈을 꺼내는 모양이군!'

사나이는 지갑을 열었지만 돈이 아니라 종이 쪽지를 꺼내 내밀었다. 테나르디에는 종이 쪽지를 받아들어 읽었다.

테나르디에 씨에게

코제트를 이 사람에게 보내 주세요. 남은 비용은 모두 지불하겠습니다. 다시 한 번 감사드립니다.

-1823년 3월 25일 몽뢰이유 쉬르 메르에서, 팡틴

"이 이름을 기억하겠죠?"

테나르디에는 아무 말도 할 수 없었다. 돈을 포기해야 한다고 생각하니 억울할 따름이었다.

"좋습니다. 당신에게 코제트를 데려갈 권리가 있다는 것을 인정합니다. 하지만 남은 돈은?"

"테나르디에 씨, 당신이 받을 돈은 월 15프랑씩 계산해도 135프랑밖에 더 되오? 더구나 내가 1,500프랑이나 주

아저씨,
무서워요…….
돈 대신
이걸 주지.
으흐흐,
돈을 더 주셔야겠습니다.
코제트는 워낙 귀한 애라서요.
어쩜 사람이
저렇게 못됐니~
확 깨물어
주고 싶어~

었잖소! 뭘 더 바라는 거요?"

테나르디에는 이대로 물러날 수는 없다고 생각했다.

"3천 프랑만 더 내놓으시오. 안 그러면 경찰서에 끌고 가겠소."

사나이는 아무 말 없이, 땅바닥에 놓아 두었던 지팡이를 집어 들었다. 테나르디에는 그 지팡이가 엄청나게 크고 주위에 아무도 없다는 것을 깨달았다. 잠시 멍청하게 서 있는 사이, 사나이는 금방 숲 속으로 사라졌다. 테나르디에는 자신의 어리석음을 탓했다.

"사냥을 나서면서 총을 두고 오다니."

사나이는 장 발장이었다. 신문 기사에서처럼 그는 분명 바다로 뛰어들었다. 하지만 무사히 바닷가로 헤엄쳐 나오는 데 성공했다. 그리고 고생 끝에 파리에 도착했다.

그는 제일 먼저 살 집부터 마련했다. 그리고 몽페르메유에 가서 테나르디에 부부에게서 코제트를 찾아왔다. 팡틴과의 약속을 지키기 위해서였다. 코제트에게 그 날은 이상하지만 또한 감격스러운 날이었다. 외딴 음식점에서 산 빵과 치즈를 숨어서 먹었고 마차를 자주 바꿔 탔다. 한참 걷기도 해서 코제트는 무척 피곤했지만 불평하지 않았다. 장 발장은 코제트가 피곤해한다는 것을 눈치채고 아이를 업어 주었다. 코제트는 장 발장의 어깨에 머리를 대더니 곧 잠이 들었다.

장 발장은 미리 준비해 둔 파리의 고르보 저택으로 가서 코제트를 침대에 눕혔다. 장 발장은 코제트 곁에 무릎을 꿇고 조용히 눈물을 흘렸다. 팡틴의 쓸쓸한 죽음이 떠올랐다.

다음 날, 장 발장은 자신이 달라졌음을 깨달았다. 이제껏 누구도 사랑해 본 일이 없었던 그였다. 그랬던 그가 코제트를 만나고는 한 번도 느껴보지 못했던 따뜻한 애정으로 가슴이 부풀어올랐다.

장 발장은 자신이 팡틴이 된 것만 같았다. 어떻게 해야 할지 잘 몰랐지만, 아이를 사랑하는 마

한 소녀가 인생의
빛이 되다니!
우리도 코제트처럼
부모님의 빛이고,
보물이란다.

이제부터는 글도 배우고
인형놀이도 실컷 하는 거야.
귀여운 코제트야.
와아! 신난다.
정말 집안일을
안 해도 되는 거지요?

음이 아지랑이처럼 피어오르는 것을 느꼈다. 이것은 그가 만난 두 번째 빛이었다. 첫 번째는 미리엘 주교가 가져다 준 '용서'라는 빛이었고, 이제 코제트가 '사랑'이라는 빛을 가져다 준 것이다.

어린 코제트는 장 발장을 아버지처럼 따랐다. 두 사람이 숨어 있는 곳은 안전했으며, 같은 층에 살고 있는 노파가 이들의 살림을 보살펴 주었다.

행복한 몇 주일이 흘러갔다. 장 발장은 코제트에게 글을 가르치고 함께 놀아 주었다. 밤이 되면 함께 산책을 나가곤 했는데, 코제트는 그 시간을 무척 좋아했다. 코제트는 밝고 건강하게 자라났다.

포슐방 노인

살림을 돌보는 노파老婆가 슬슬 장 발장을 의심하기 시작했다. 그래서 코제트에게 이것저것 물어 보았지만 몽페

노파(老婆) : 늙은 여자.

행복한 생활을
하고 있긴 하지만
장 발장은 여전히 도망자야.
쫓기는 신세가 불안하고
힘들었겠지.

르메유에서 왔다는 것밖에 알 수 없었다.

어느 날 아침, 노파는 장 발장이 코트에서 1,000프랑짜리 지폐를 꺼내는 걸 문틈으로 엿보았다. 노파는 자기가 본 것을 동네 아낙들에게 퍼뜨렸다. 그 일로 또다시 장 발장과 코제트에게 어두운 그림자가 찾아왔다.

장 발장은 산책길에 늘 생메다르 성당에서 구걸하는 노인에게 적선을 했다. 그 날도 그는 언제나처럼 몸을 구부리고 있었다. 적선을 하려고 돈을 쥐어 주자 거지가 그의 손을 잡았다. 그리고 고개를 들어 올려다보았는데 어딘지 낯이 익었다. 기억하고 싶지 않은 자베르였다.

'아니, 내가 왜 이러지. 이건 꿈이야!'

장 발장은 있을 수 없는 일이라 생각하며 고개를 젓고 서둘러 집으로 돌아왔다. 그는 그 일이 영 마음에 걸려 다음 날도 생메다르 성당으로 그 노인을 찾아갔다. 다행히 그는 자베르가 아니라 늘 보았던 늙은 거지였다.

며칠이 지난 어느 새벽, 누군가 계단을 오르는 소리가

들렸다. 장 발장은 벌떡 일어나 열쇳구멍으로 밖을 내다 보았다. 복도에 서 있는 사나이는 자베르였다. 장 발장은 곧바로 코제트를 데리고 집을 빠져 나왔다. 그들은 뒷길로 나와 구불구불한 골목으로 도망쳤다.

그러나 자베르와 부하의 추격을 좀처럼 따돌릴 수 없었다. 자베르는 이미 골목 곳곳에 경찰들을 배치配置해 놓았던 것이다. 두 사람에게 더 이상 도망갈 곳은 없을 거라고 자베르는 생각했다.

막다른 골목으로 몰린 장 발장도 더 이상 숨을 곳이 없다고 생각했다. 그 골목의 담은 아주 높았기 때문이다. 하지만 장 발장은 죽을 힘을 다해 코제트와 함께 담을 뛰어넘었고, 이름 모를 정원에 몸을 숨겼다. 코제트를 구하겠다는 신념이 없었다면 절대로 넘을 수 없을 만큼 높은 담이었다.

높은 담장을 넘어
도착한 집은 어디일까요?
다른 사람은 함부로
못 들어가는 특별한
장소겠지요?

배치(配置) : 사람이나 물건 따위를 알맞은 자리에 나누어 둠.

포슐방 노인은
허리에 방울을 차고 있었어.
'딸랑딸랑' 소리가 나면
수녀님들이 피하도록 말이야.
남자와 부딪치는 것을 엄격하게
금하는 수녀원이었나 봐.

장 발장은 주위를 가만히 살펴보았다. 그런데 정원에 누군가가 있었다.

장 발장은 더 이상 코제트를 추운 곳에 둘 수 없다는 생각에 사나이에게 다가가 말했다.

"여기 100프랑이 있소. 오늘 밤 재워 준다면 이 돈을 드리리다."

"마들렌 씨?"

뜻밖의 장소에서 자신의 옛 이름을 듣자 장 발장은 소스라치게 놀랐다. 그의 이름을 부른 것은 그가 시장이었을 때 마차 아래에서 목숨을 구해 준 포슐방이라는 노인이었다.

"아, 당신이군요! 그런데 여기는 어디죠?"

"여긴 수녀원이에요."

장 발장은 지난 기억이 떠올랐다. 마차에 깔려 죽을 뻔했던 노인을 자신이 수녀원에서 일하게 해 주었던 것이다. 그는 수녀원이라면 자베르의 끈질긴 추적을 피할 수 있을 거라고 생각했다.

"나를 좀 도와 주시오."

"물론이죠. 은혜恩惠를 갚을 수 있다면 뭐든지 하겠습니다."

"당분간 이 곳에 살게 해 주시오."

포슐방 노인은 고개를 끄덕이고는 자신의 방으로 안내했다.

그 날 밤 포슐방 노인은 앞으로 어떻게 해야 할지를 걱정하느라 잠을 제대로 이루지 못했다. 그들은 대체 어떻게 수녀원의 담을 넘었을까? 포슐방 노인은 수녀원으로 들어온 이후 세상 일에 대해서는 전혀 아는 것이 없었다. 때문에 여러 가지 생각을 해 보았지만 예전에 마들렌 씨가 자신을 구해 주고 일자리를 마련해 주었다는 것 말고는 확실한 게 아무것도 없었다. 어쨌든 포슐방 노인은 할 수 있는 한 최선을 다해 그를 돕기로 마음먹었다. 그러나

은혜(恩惠) : 자연이나 남에게서 받는 고마운 혜택.

그와 아이를 수녀원에 머물게 하는 것은 쉬운 일이 아니었다. 둘은 머리를 맞대고 상의했다.

"우선, 이 방에서 한 발짝도 나가시면 안 돼요."

"알겠소."

"마침 좋은 때 오신 것 같기도 해요. 지금 수녀님 한 분이 위독하시거든요. 그래서 누구도 이 곳에 신경을 쓰지 않죠."

그 때 종 소리가 한 번 울렸다.

"이런, 수녀가 죽었다는 것을 알리는 종 소리입니다."

두 번째 종이 울렸다.

"종 소리는 수녀의 유해가 밖으로 나갈 때까지 24시간 동안 계속 울릴 겁니다. 문제는 이 수녀원 부속 학교의 여학생들입니다. 쉬는 시간이 되면 이 곳으로 몰려와 놀곤 하거든요."

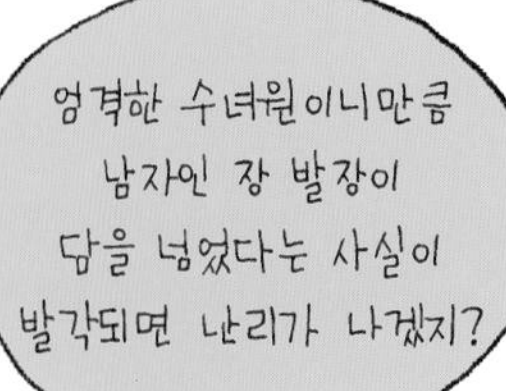
엄격한 수녀원이니만큼
남자인 장 발장이
담을 넘었다는 사실이
발각되면 난리가 나겠지?

장 발장은 잠시 코제트가 수녀원 부속 학교에서 교육을 받으면 좋겠다는 생각을 했다.

"아무래도 마들렌 씨와 코제트가 밖으로 나갔다가 다시 들어와야 할 것 같습니다. 마들렌 씨를 내 동생으로, 코제트를 조카라고 말해서 이 수도원에서 살 수 있도록 원장 수녀님께 허락을 구해 보겠습니다."

코제트는 광주리에 넣어서 늘 나가는 문으로 내보내면 되었다. 문제는 장 발장이었다.

"당신을 광주리에 넣을 수도 없고."

포슐방 노인은 난처하다는 듯이 귀밑을 긁었다. 이 때 종이 요란스럽게 울렸다. 포슐방 노인을 부르는 종 소리였다. 노인은 원장 수녀를 만나고 돌아왔다.

"어떻게 됐소?"

"원장 수녀님이 당신이 여기 머물러도 좋다고 허락하셨어요."

포슐방 노인은 장 발장에게 원장 수녀님의 허락을 쉽게 얻을 수 있었던 사정을 설명했다. 죽은 수녀는 자신을 교회당 제단 밑 납골당에 묻어 달라는 유언을 남겼는데, 그것은 규칙에 어긋나는 것이었다. 그렇다고 유언을 무시할

그런 무시무시한
계획을 세우다니!
탈출에 실패하면 생매장
당하는 거잖아!

수 없으므로, 수녀들은 그에 따르기로 하고 포슐방 노인에게 빈 관을 공동묘지에 묻어 달라고 했다. 답례로 원장은 노인의 동생을 정원사로, 조카를 기숙생으로 수녀원에 받아들이겠다고 한 것이다.

"잘 됐군. 그렇다면 내가 그 관에 들어가 밖으로 빠져 나가겠소. 관에 조그만 구멍을 뚫어 주시오. 그리고 뚜껑을 꼭 닫지 말고 못질을 해 주시오."

"위험하기는 하지만 그 방법밖에 없겠군요."

"관 속에서 잘 견뎌 주시기만 하면 제가 틀림없이 구해 드리겠습니다. 무덤 파는 영감하고 잘 아는 사이거든요. 함께 술을 마셔서 그를 취하게 한 다음 묘지로 돌아가 꺼내 드리지요."

장 발장은 죽은 수녀 대신 관 속에 들어가 수녀원을 빠져 나갔다.

그러나 공동묘지에 도착했을 때, 그들을 기다리고 있던 인부는 포슐방 노인의 친구인 메스티엔이 아니라 처음 보는 낯선 남자였다.

"당신은 누구요?"

"무덤 파는 인부요."

"메스티엔 영감은?"

"죽었소. 이제 내가 그의 일을 대신 한다오."

포슐방 노인은 새파랗게 질렸다. 계획計劃이 어긋난 것이다. 어떻게든 그를 꼬여 술을 마시러 가려고 했지만 그 인부는 끝까지 거절했다. 그는 묵묵히 무덤을 파더니 관을 넣고 관 위로 흙을 퍼 던졌다.

으이구,
틀림없이 구해
주겠다고 큰소리치더니.
관 속에 있는 장 발장은
얼마나 불안하겠어?

노인은 자기마저 무덤 속에 들어가는 느낌이 들었지만 침착하려고 애쓰면서 인부를 자세히 살폈다. 그의 뒷주머니에 삐죽 튀어나와 있는 묘지 통행증이 보였다. 해가 넘어간 뒤 묘지를 출입할 때 필요한 통행증이었다. 노인은 통행증을 몰래 빼낸 다음 이렇게 말했다.

계획(計劃) : 어떤 일을 함에 앞서, 미리 생각하여 얽이를 세움, 또는 그 세운 내용.

"벌써 해가 넘어가고 있군. 그런데 친구, 통행증은 가지고 있소?"

"물론이죠. 여기."

그렇게 대답하면서 인부는 주머니를 뒤졌지만 통행증은 나오지 않았다.

"이크, 집에서 안 가져온 모양이군."

"저런, 15프랑의 벌금을 물게 생겼군."

"제기랄, 15프랑이나 벌금을 내야 해요?"

인부는 삽을 집어던졌다.

"너무 걱정 마시오. 내가 도와 줄 테니. 당신은 얼른 집에 다녀와요. 아직 해가 넘어가지 않았으니 묘지 문지기가 문을 열어 줄 거요. 여기는 내가 지키고 있겠소."

"정말 고마워요."

인부가 떠나자마자 포슐방 노인은 서둘러 장 발장을 관에서 꺼내 주었다. 그러고는 빈 관을 무덤에 묻었다.

"얼른 빠져 나갑시다."

포슐방 노인과 장 발장은 각각 삽과 곡괭이를 들고 그

아이고,
마들렌 시장님!
덜컥
콜록, 콜록.
진짜 죽는 줄 알았소.

인부의 통행증을 수위에게 던져 주고 묘지를 빠져 나왔다. 그리고 어둠 속을 천천히 걸어서 묘지에 오기 전에 코제트를 맡겨 두었던 노파에게서 아이를 찾아 수녀원으로 돌아왔다.

다음 날부터 장 발장은 윌팀 포슐방 노인으로 불리며 정원사의 조수로 일했고 코제트는 수녀원 부속 학교의 학생으로 기숙사에 들어갔다.

수녀원은 드넓은 바다에 둘러싸인 섬과 같아서, 장 발장을 위협하는 세상으로부터 안전했다. 아무리 경찰이라고 해도 함부로 수색할 수 없는 곳이었기 때문이다. 물론 장 발장은 수녀원 밖으로 한 발자국도 나가지 않았다. 그건 잘 한 일이었다. 자베르가 그 부근을 한 달 이상이나 감시하고 있었기 때문이다.

그 곳에서 장 발장은 코제트와 함께 얼마든지 행복하게 지낼 수 있었다. 그들은 그 곳에서 몇 년을 지냈다. 코제트는 어엿한 숙녀로 자라났다.

4장
마리위스

퐁메르시 남작의 첫사랑

장 발장이 미리엘 주교를 만난 1815년, 그 해에 일어난 워털루 전투로 나폴레옹은 왕위에서 물러나고 루이 18세가 프랑스의 새로운 국왕이 되었다. 그러나 나폴레옹을 추종하는 젊은 공화파는 새로운 프랑스 정부를 만들어야 한다고 주장主張했다. 국왕을 따르는 왕당파와 공화파와의 싸움은 그 후로도 계속되었다. 이런 정

근세 프랑스의 역사를
잘 알아 두세요.
이야기를 이해하는 데
도움이 될 테니까용~.

주장(主張) : 자기의 학설이나 의견 따위를 내세움. 또는 그 학설이나 의견.

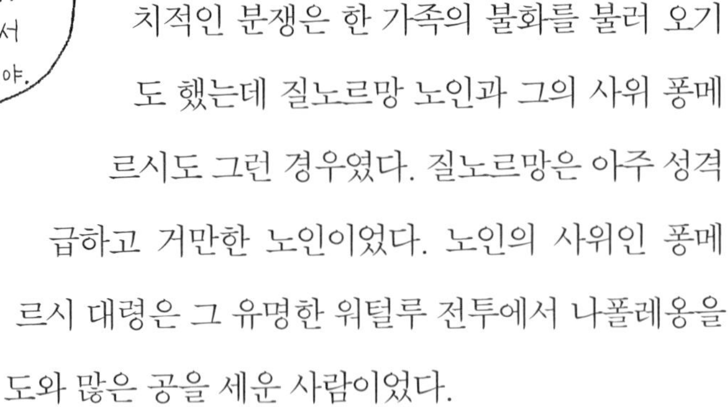

이 글의 작가인
빅토르 위고의 집안도
같은 갈등을 겪었지.
아마 당시 프랑스에서
이런 일은 흔했을 거야.
명작

치적인 분쟁은 한 가족의 불화를 불러 오기도 했는데 질노르망 노인과 그의 사위 퐁메르시도 그런 경우였다. 질노르망은 아주 성격 급하고 거만한 노인이었다. 노인의 사위인 퐁메르시 대령은 그 유명한 워털루 전투에서 나폴레옹을 도와 많은 공을 세운 사람이었다.

질노르망은 나폴레옹이라면 치를 떨었다. 때문에 사위에게서 손자 마리위스를 빼앗아 버렸다. 질노르망은 유독 손자만은 귀여워했기 때문에 마리위스는 아무것도 모르고 행복하게 자라났다.

어느덧 시간이 흘러 마리위스는 법률을 공부하는 학생이 되었다. 청년이 된 마리위스가 외할아버지의 말을 듣고 아버지를 찾았을 때, 그는 이미 숨을 거둔 뒤였다. 마리위스는 자신을 버린 아버지에 대한 원망怨望만이 가슴에 남아 있었기 때문에 조금도 슬퍼하지 않았다. 그 집의

원망(怨望) : 억울하게 여겨 탓하거나 분하게 여겨 미워함.

하녀는 마리위스에게 그의 아버지가 남겼다는 쪽지를 건네 주었다.

나폴레옹 황제는 워털루 전투에서 내게 남작의 작위를 내려 주셨다. 내가 피로써 얻은 이 작위를 현 정부는 인정하지 않는다. 하지만 아들아, 네가 이 작위를 물려받기 바란다.

쪽지 뒷면에는 다음과 같이 적혀 있었다.

워털루 전투에서 한 병사가 내 목숨을 구해 주었다. 그는 테나르디에라 한다. 그는 몽페르메유에서 작은 여관을 운영하고 있다. 그를 만난다면 친절히 대해 주기 바란다.

마리위스는 그 쪽지를 주머니에 넣었다. 그리고 장례를 치르자마자 파리로 돌아와 다시 공부에 힘썼다. 아버지에 대한 기억은 사흘도 안 돼 잊어버렸다.

마리위스는 어려서부터 성당에 다녔다. 어느 날 성당에 앉아 있는데 어떤 노인이 다가와 말했다.

"이보게, 여기는 내 자리일세."

마리위스가 자리를 내어 주자 노인은 그 자리에 앉았다. 미사가 끝나고 노인은 마리위스에게 이렇게 말했다.

"귀찮게 해서 미안하네. 나에겐 이 자리가 특별하기 때문에 비켜 달라고 했던 것이라네."

"무슨 사연이라도 있나 보죠?"

마리위스가 물었다.

"이 자리에 앉으면 늘 아들을 지켜보는 한 가엾은 아버지의 모습이 보였다네. 아들은 아버지가 온 줄도 몰랐어. 아버지는 남의 눈에 띌까 조심했거든. 그분은 기둥 뒤에 숨어 아들을 보곤 했네. 눈물을 흘리면서 말이야. 그분의 장인은 그분이 아들과 만나는 것을 몹시 싫어했지. 만약 아들을 만나다 들키면 손자에게 유산遺産을 물려주지 않

유산(遺産) : 죽은 이가 남겨 놓은 재산.

퐁메르시는 아들을 사랑했어.
한 번도 표현하지 못했지만…….
으이그, 불쌍한 사람.
퐁메르시?
그분이 제
아버지입니다!
훌쩍훌쩍,
너무 감동적이지 않니?

겠다고 협박했다더군. 그분은 아들이 부자로 행복하게 살기를 바랐기 때문에 자신을 희생했던 것이네. 그분의 이름이 퐁마리인가 몽페르시인가 그랬는데……."

"혹시 퐁메르시 아닙니까?"

마리위스는 얼굴이 하얗게 질려 물어 보았다.

"그래, 퐁메르시! 자네도 그 사람을 아나?"

"제 아버님입니다."

노인은 깜짝 놀라며 말을 이었다.

"자네가? 그래, 지금쯤 어른이 되었겠군. 아무튼 그렇다면 자네를 그토록 사랑하던 아버지가 계셨다는 사실에 감사를 드리게."

마리위스는 노인 덕에
아버지의 사랑을 깨달았어.
그 노인은 죽은 아버지의
천사가 아니었을까?

마리위스는 노인을 집까지 모셔다 드렸다. 그리고 다음 날 외할아버지에게 친구들과 사냥을 간다며 며칠 집을 비우는 것을 허락받았다. 사흘 동안 집을 비운 마리위스는 돌아오자마자 인쇄소에 들러 '남작 마리위스 퐁메르시'라는 명함을 주문했다.

흐음, 테나르디에는
어디로 사라진 걸까?
마리위스는 테나르디에를
만날 수 있을까?

그 뒤로 마리위스는 가끔씩 집을 비웠다. 한 번은 쪽지 속의 인물을 찾기 위해 몽페르메유에 가기도 했다. 하지만 이미 테나르디에의 여관은 문을 닫은 상태였다.

수상하게 여긴 질노르망은 마리위스가 집을 비운 사이 소지품을 뒤져 보았다. 방에는 코트와 검은 끈이 놓여 있었다. 그 끈에는 상어 가죽으로 된 작은 지갑 같은 것이 매달려 있었는데 그 안에는 쪽지가 들어 있었다.

'보나마나 연애 편지겠지.'

이렇게 생각하며 쪽지를 펼쳐 보니 거기에는 사위가 손자에게 쓴 쪽지가 들어 있었다. 그리고 코트 주머니에서 '남작 마리위스 퐁메르시' 라고 쓰인 명함도 발견했다. 질노르망은 손자에게 심한 배신감을 느꼈다. 마리위스가 집으로 돌아오자 질노르망은 빈정거리는 말투로 말했다.

"퐁메르시 남작, 어서 오시게."

질노르망의 목소리가 떨렸다.

"마리위스, 네 아버지는 나다."

"제 아버지는 용감하고 겸손한 분이었으며 조국을 위해 많은 공헌을 했습니다. 25년간을 전쟁터에서 보내며 수많은 공을 세웠으나 외롭게 돌아가셨습니다. 잘못이 있다면 조국과 아들을 사랑했다는 것뿐입니다."

마리위스는 진지하게 대답했다. 질노르망은 더 이상 참을 수 없었다.

"마리위스, 이 못된 녀석! 네 아버지가 누구인지 나는 모른다. 오직 불한당이었다는 것만 알 뿐이야."

이렇게 말하는
할아버지의 마음도
무척 아팠을 거야.
누구보다 손자를
사랑했잖아.

질노르망의 얼굴이 붉어졌다가 곧 새하얗게 변했다. 그러고는 싸늘한 미소를 지으며 말했다.

"귀하신 남작님과 나 같은 평범한 시민市民이 함께 살 수 없습니다. 내 집에서 썩 나가 주시오!"

시민(市民) : 시에 살고 있는 사람. 시의 주민.

그 날로 마리위스는 집에서 쫓겨났다. 그는 30프랑가량의 돈과 시계, 옷가지 몇 벌밖에 챙겨 나오지 못했다. 집에서 나온 후, 마리위스는 갖은 고생을 했다. 그는 힘든 나날을 통해서 고통을 참는 법을 배워 나갔다.

노력 끝에 마리위스는 변호사가 되었다. 그는 질노르망에게 편지를 보내 그 사실을 알렸지만 질노르망은 그 편지를 갈기갈기 찢어 버렸다.

마리위스는 1년에 약 700프랑 정도를 벌었고 그 돈으로 생활해 나갔다. 마리위스는 뤽상부르 공원의 인적 없는 오솔길을 혼자 산책하는 것을 좋아했다. 그가 고르보 저택을 발견하게 된 것도 산책을 하던 중이었다. 저택은 방값이 싸고 조용했다.

마리위스는 뤽상부르 공원의 오솔길 근처에서 한 신사와 소녀가 벤치에 앉아 있는 것을 보곤 했다. 신사는 60세쯤 된 노인으로 얼굴은 정직해 보였다. 소녀는 너무 말

히히, 두 사람을
사랑하게 만들어 버릴까?
아아. 아름다운 아가씨,
어찌 그리 예쁜가요?
얘네 얼굴,
왜 이렇게 빨간 거야?
왜 이렇게 심장이
두근거리지?

라 볼품 없었지만 큰 눈을 보니 나중에 꽤 아름다운 여인이 될 것 같았다. 마리위스는 처음 1년 동안 거의 날마다 같은 시간에 그들을 만났다. 하지만 변호사 일이 바빠져 반 년 가량이나 공원을 찾지 못했다.

마리위스,
이건 비밀인데,
네가 나타나지 않던
반년 동안 소녀는
너를 그리워했대~.

어느 맑게 갠 여름날 아침에 마리위스는 오랜만에 오솔길로 향했다. 그리고 길이 끝나는 지점에서 반 년 전에 그랬던 것처럼 노인과 소녀를 만났다.

노인과 소녀는 벤치에 앉아 있었다. 마리위스가 가까이 다가가서 보니 예전의 그 소녀는 어느덧 아름다운 처녀處女가 되어 있었다. 외모뿐만 아니라 옷차림 또한 성숙해 보였다. 그녀는 가느다란 손에 흰 장갑을 끼고 있었고, 작고 예쁜 발에는 비단 구두를 신고 있었다.

마리위스는 벤치 곁을 지나면서 그 아가씨와 눈이 마주쳤다. 그 눈길에는 아무것도 없었지만, 또 모든 것이 있었

처녀(處女) : 아직 결혼하지 않은 여자.

다. 그 날 이후 그는 설레는 마음으로 말쑥하게 차려입고 공원에서 그녀를 기다리고는 했다.

며칠 뒤에도 노인과 아가씨가 맞은편에서 걸어오고 있었다. 마리위스는 가슴이 뛰었다. 아가씨가 스쳐 가면서 그를 뒤돌아보았는데, 그 정다운 눈길에 마리위스는 온몸이 떨렸다.

노인도 마리위스의 이런 태도를 눈치챘다. 그래서 그가 나타날 때마다 딸을 데리고 도망치듯 자리를 피했다. 딸을 데리고 오지 않는 날도 많아졌다.

어느 날 해질 무렵, 마리위스는 노인과 처녀가 앉았던 자리에서 손수건을 발견했다. 평범한 손수건이었지만 뭐라 말할 수 없는 향기香氣가 나는 것 같았다. 마리위스는 손수건에 입을 맞추고는 가슴에 품고 다녔다.

한번은 그들을 미행하기도 했다. 그들은 웨스트 가의 4층 건물에 살고 있었다. 그러나 그들을 미행한 것은 실수

향기(香氣) : 기분 좋은 냄새.

자, 이쯤 되면

추측할 수 있지 않을까?
잘 모르겠다는 친구들도
있겠지만 계속 읽어 보자고!

였다. 딸을 먼저 들여보내고 문 앞에 서 있던 노인이 뒤따라온 마리위스를 보고 만 것이다. 그 다음 날부터 두 사람은 공원에 나오지 않았다. 그렇게 일주일이 지나갔다.

8일째 되던 날, 마리위스는 노인과 소녀가 살고 있는 웨스트 가의 4층 건물 앞에서 창을 올려다보며 방의 불이 켜지기만을 기다렸다. 그러나 한밤중이 되어도 불은 켜지지 않았다. 다음 날도 찾아갔지만 마찬가지였다. 그는 견딜 수가 없어 문지기에게 물었다.

"4층에 사는 분들은 어디로 갔나요. 혹시 이사 간 곳을 알고 있나요?"

"몰라요."

마리위스는 힘없이 집으로 돌아갈 수밖에 없었다. 여름이 지나고 가을이 가고 겨울이 찾아왔다. 하지만 노인과 그 딸은 공원에 나타나지 않았다. 마리위스는 오직 그녀를 보고 싶다는 생각뿐이었다.

마리위스의 친구들과
마리위스는 그 노인을
'르블랑 씨'라고 불렀단다.
노인의 진짜 이름은
아무도 몰라~.

에포닌이라…….
어디서 많이 들어 본
이름인데?
으으, 누구지?
기억이 안 나!

그 무렵 고르보 저택에는 마리위스와 종드레트 가족만이 살고 있었다.

하루는 마리위스가 아침 식사食事를 하고 일을 하러 나가려는데 누가 방문을 두드렸다.

"들어오세요."

마리위스가 문을 열며 말했다. 깡마르고 옷도 제대로 갖춰 입지 못한 여자가 서 있었다. 종드레트 씨의 큰딸 에포닌이었다.

"무슨 일인가요?"

"편지예요, 마리위스 씨."

에포닌은 맨발이었고 스커트에는 구멍이 뚫려 다리와 무릎이 드러나 보였다. 마리위스는 편지를 뜯었다.

친절하신 젊은 신사분!

저희는 이틀 전부터 아무것도 먹지 못했습니다. 당신이

식사(食事): 사람이 끼니로 음식을 먹는 일, 또는 그 음식.

호의를 베풀어 주시리라 기대합니다.

－종드레트.

추신 － 딸은 당신의 지시를 기다릴 겁니다.

마리위스는 오래 전부터 이 집에 살았으나 종드레트 가족들을 눈여겨볼 기회는 없었다. 아마 봤더라도 무심코 지나쳤을 것이다. 하지만 지금, 마리위스는 종드레트라는 사람에게 화가 치밀었다. 가엾은 딸을 이용해 구걸을 하다니.

에포닌은 유령幽靈처럼 방 안을 왔다 갔다 하고 있었다.

"이 방에는 거울이 있군요."

에포닌은 마치 혼자 있는 듯이 노래를 흥얼거렸다. 아마도 그녀가 좀 더 좋은 교육을 받아서 지금과 다른 삶을 살았더라면 그런 활달한 행동이 아름다워 보였을 수도 있었으리라. 에포닌은 마리위스를 바라보며 종알종알 떠들

유령(幽靈) : 죽은 사람의 혼령.

에포닌이란 이름과
워털루 전투라는 단서!
옆집 사는 가족들,
어쩐지 낯이 익은데?

어 댔다.

"와, 마리위스 씨 집에 워털루 전투에 관한 책이 있네요? 우리 아버지도 워털루 전투에서 큰 공功을 세웠다고 들었어요. 어머, 시간이 이렇게 됐나? 성당에 가야겠어요. 우리를 도와 주는 어떤 노인이 있거든요. 오늘은 그 분을 집에 모셔 오려고요."

마리위스는 주머니를 탈탈 털어 5프랑 16수에서 16수만을 남기고 에포닌에게 주었다. 그녀는 마리위스에게 인사를 하고 누더기 스커트를 팔랑팔랑 흔들며 밖으로 나갔다. 그녀가 나가고 나자 마리위스는 한 번도 관심을 두지 않았던 자신의 이웃이 궁금해졌다.

'옆집 사나이는 어떤 사람이길래 자신의 딸까지 이용해서 이웃에게 구걸을 하는 것일까?'

무심코 자기 방을 둘러보니 벽에 작은 구멍이 있었다.

공(功) : 어떤 일에 이바지한 공적과 노력.

마침 벽에 난
작은 구멍이 발견되다니?
옛 소설에는 이런 우연의
일치로 이루어지는 사건들이
종종 있단다.

그는 장롱 위에 올라가 벽 사이에 난 구멍으로 종드레트의 집을 들여다보았다. 방은 형편 없이 지저분했다. 작은딸은 낡은 침대에 앉아 발을 흔들며 앉아 있었다. 그 때 느닷없이 방문이 열리고 아까 마리위스를 찾아왔던 에포닌이 뛰어들어왔다.

"아버지, 와요!"

"누가?"

아버지가 물었다.

"그 자선가 양반 말이에요."

협잡꾼 종드레트

"여보 들었지? 자선가가 온대. 어서 불을 꺼."

아버지가 작은딸을 향해 소리를 질렀다.

"얼른 일어나서 유리창을 깨뜨려라."

작은딸은 망설이다가 유리창을 주먹으로 쳤다. 쨍그랑 소리를 내며 유리창이 깨졌다.

앗, 나의 그녀가
사기꾼의 집에!
떠 줘도 떠 줘도
끝이 없군…….
고맙수. 으흐흐.
근데 진짜 필요한 건
돈이라우.
아이고, 죽겠네.
콜럭콜럭.

"됐어."

종드레트가 말했다. 그들은 마치 전투 준비를 하는 것 같았다. 찬 바람이 깨진 유리창을 통해 들어왔고, 작은딸은 울면서 유리창을 깨느라 다친 손을 웃옷으로 감쌌다. 아버지는 작은딸에게 더욱 크게 울라고 시켰다.

"젠장, 그놈은 늘 빵이나 옷가지를 주는데 내게 필요한 건 돈이란 말이야."

누군가 문을 두드렸다. 종드레트는 달려가 공손히 절을 하고 억지 웃음을 지으며 말했다.

"어서 오세요, 선생님. 그리고 아름다운 아가씨께서도 어서 오십시오."

나이 든 노인과 젊은 처녀가 방에 들어섰을 때 그들을 엿보던 마리위스는 깜짝 놀랐다. 마리위스의 가슴은 미친 듯이 뛰기 시작했다. 그는 자기 영혼을 잃었다가 다시 찾은 기분이었다. 젊은 아가씨는 공원에서 본 그 아가씨였다. 종드레트의 집으로 마리위스가 그토록 만나고 싶었던 아가씨가 들어선 것이다.

이 사람들,
불쌍한 건지, 뻔뻔한 건지,
무서운 건지.
영 맘에 안 드네?

그 노인, 르블랑 씨는 새 옷과 신발, 담요를 꺼내 놓았다. 종드레트는 돈이 아니라 옷가지를 내놓는 것을 보고 무척 실망했다.

"보시다시피 제 집에는 빵도 없고 물도 없습니다. 아내는 병들었고, 딸은 상처를 입었습니다. 그리고 오늘 집세를 내야 하는데 무려 60프랑이나 밀렸어요."

르블랑 씨는 주머니에서 5프랑을 꺼내 그에게 주었다.

종드레트는 실망했지만 얼른 그 돈을 받아 넣었다.

르블랑 씨!
도와 주지 마세요!
이 사람 사기꾼이래요!

"나도 지금은 5프랑밖에는 없어요. 하지만 딸을 집에 데려다 주고 오늘 저녁에 다시 오겠소. 당신이 집세를 내야 하는 날이 오늘이라고 그랬죠."

"고맙기도 하셔라!"

"오늘 저녁 6시에 다시 봅시다."

"6시라고 하셨죠? 알았습니다."

종드레트는 르블랑 씨와 그 딸을 배웅하겠다며 호들갑을 떨었다. 마리위스는 얼른 따라나갔으나 마차는 이미 떠난 뒤였다. 실망失望해서 집으로 돌아오는데 문 옆에 에포닌이 서 있었다.

"저 사람들은 누구요?"

"저희를 도와 주는 사람들이에요."

"저 아가씨가 어디 사는지 알아요?"

"몰라요. 하지만 원한다면 그 예쁜 아가씨의 주소를 알아봐 드리죠. 대신 당신도 제가 원하는 것을 들어주셔야 해요."

에포닌은 기운 빠진 목소리로 대답했다. 그 때 옆집에서는 종드레트의 목소리가 들렸다.

"틀림없이 그 녀석이야."

"그럼, 그 예쁜 아가씨가 그 계집애란 말이에요?"

에포닌의 목소리가
왜 기운이 없을까?
여자의 마음을 잘 아는
사람은 그 이유를
눈치챘겠지?

실망(失望) : 희망을 잃음. 일이 뜻대로 되지 않음.

"맞다니까! 내 눈은 속일 수 없어. 놈이 다시 오면 돈을 뜯어 낸 다음 해치워 버려야지. 날 도와 줄 친구들을 불러야겠어. 조금만 기다리라고!"

종드레트는 그 자선가慈善家가 누구인지 알아채고는 그를 해칠 계획을 세웠다. 그 소리에 놀란 마리위스는 서둘러 경찰서로 달려갔다.

"잘 알았소. 총을 줄 테니 긴급한 상황에 처하면 발사하시오. 우리도 곧 출동하리다."

마리위스는 권총을 챙겨 넣었다.

마침 찾아간
경찰서에 자베르가?
거참, 우연의
연속이네~.

마리위스가 경찰서를 빠져 나가자 경찰관의 얼굴에는 차가운 미소가 감돌았다. 그는 자베르였다.

마리위스는 그 날 출근을 하지 않고 종드레트의 방을 감시했다. 저녁 때 르블랑 씨가 찾아왔다. 그는

자선가(慈善家) : 가난하거나 불행한 처지에 있는 사람을 딱하게 여겨 도와 주는 사람.

80프랑을 종드레트에게 건네주었다. 그러나 종드레트는 그것으로 만족滿足 할 수 있는 사람이 절대 아니었다.

"그런데 이 그림도 한 장 사 주셔야겠습니다. 보시면 만족하실 겁니다."

그러는 동안 한 사나이가 문 소리도 내지 않고 방 안으로 들어섰다. 사나이의 팔에는 문신이 새겨져 있었다.

"저 사람은 누구요?"

르블랑 씨가 물었다.

"이웃입니다. 신경 쓰지 마세요. 아무튼 아까 했던 말을 계속 하죠. 이 그림은 대가의 작품인데 아주 값비싼 그림입니다."

르블랑 씨가 그림을 보면서 주변을 살펴보니 어느 새 종드레트의 집에 낯선 사나이들이 네 사람이나 들어와 있었다.

"제 친구들입니다. 이웃에 사는 사람들이죠. 신경 쓰지

만족(滿足) : 마음에 부족함이 없이 흐뭇함.

르블랑 씨,
아니 장 발장 씨가
아무리 마음이 좋아도
지금 위험한 상황이라는 건
눈치챘겠지?

않으셔도 됩니다. 그런데 선생님, 얼마면 이 그림을 사시겠습니까?"

"이건 선술집 간판이네요. 3프랑 정도 하겠군요."

종드레트는 진지하게 말했다.

"3프랑이라니요! 3천 프랑은 받아야 합니다. 만일 이 그림을 사 주지 않으시면 저희는 정말 곤란합니다. 강물에 뛰어들지도 몰라요. 저희 딸들과 함께 말이지요."

르블랑 씨는 그의 말을 들으면서도 주변을 끊임없이 살폈다. 마리위스도 긴장된 시선으로 그들을 번갈아 바라보았다.

그 때, 종드레트가 갑자기 벌떡 일어서더니 르블랑 씨 쪽으로 다가가 소리를 질렀다.

"영 사태事態를 파악하지 못하는군. 이봐, 나를 못 알아

사태(事態) : 일의 되어 가는 형편이나 상태.

보겠나?"

그 때 문이 벌컥 열리면서 긴 막대와 도끼를 든 사나이들이 나타났다. 그리고 이웃이라던 작자들이 위협적인 몸짓을 하며 르블랑 씨에게 다가섰다.

"전혀 모르겠는걸."

종드레트는 그에게 가까이 다가갔다. 그리고 흉악한 턱을 르블랑 씨의 얼굴에 바싹 들이대고 이렇게 말했다.

"잘 봐! 내 이름은 종드레트가 아니야. 나는 테나르디에야! 몽페르메유의 여관 주인, 알겠나?"

종드레트가 테나르디에라는 이름을 말했을 때, 마리위스는 손에 힘이 빠져 권총을 떨어뜨릴 뻔했다. 테나르디에는 아버지의 유언을 통해 그가 은혜를 갚아야 할 사람이었다.

'저런 인간이 테나르디에라니! 아버지의 은인이 저런 악한이라니.'

마리위스는 허탈했다. 그는 몸을 떨었다. 아버지의 유언을 받들 것인가? 아니면 르블랑 씨를 구할 것인가? 그는 정신이 나갈 것만 같았다.

"8년 전 크리스마스 저녁에 우리 집에 나타나서 코제트를 빼앗아 가고 나를 협박했지. 이 빌어먹을 유괴범誘拐犯아."

"그게 무슨 말이오? 아마 사람을 잘못 본 것 같군요."

"나를 모르는 척해 봐야 소용 없어. 나는 돈이 필요해, 큰돈이. 당장 내놓지 않으면 죽여 버리겠어."

상대는 모두 여덟 명이었다. 그들이 잠시 방심한 틈에 르블랑 씨는 순간적으로 창턱 위로 올라섰다. 하지만 순식간에 열여섯 개의 손이 그를 잡아당기는 바람에 바닥으로 내동댕이쳐졌다. 다음 순간 한 사내가 르블랑 씨를 올라타고 때리기 시작했다. 다른 사나이는 곤봉으로 그를 내리치려 했다. 마리위스는 더 이상 보고 있을 수만은 없었다.

뭘 고민해?
게다가 저 악당은
아버지를 구한 생명의
은인도 아닌걸!

'아버지, 용서하세요.'

유괴범(誘拐犯) : 사람을 속여 꾀어 내어 성립하는 범죄. 또는 그 범인.

그는 마음 속으로 말하고 권총을 꺼내 들었다. 그 때 테나르디에가 외쳤다.

생사가 걸린
긴박한 순간이야.
나라면 이럴 때
어떻게 했을까?

"그자를 해치면 안 돼!"

그 소리에 마리위스도 권총을 발사하지 않았다. 아무래도 상황을 좀 더 지켜봐야 할 것 같았다.

"내가 아까 화낸 것은 미안하게 됐어. 한 20만 프랑쯤으로 끝냈으면 좋겠군. 내가 시키는 대로만 순순히 따라 준다면 아무 문제 없을 거야."

테나르디에는 주머니에서 종이 한 장과 펜을 꺼내 르블랑 씨 앞에 놓으며 말했다.

"이봐, 당신 집 주소를 적어. 그리고 당신 딸에게 돈을 가지고 이 곳으로 오라고 편지를 써. 그리고 서명을 해."

주소를 쓰면,
모든 게 다 드러나는 거잖아!
설마 그런 위험한
일을 했으려고!

르블랑 씨는 잠시 생각에 잠겼다가 펜을 들고 주소를 썼다. 그리고 편지를 쓰고 서명을 했다. 사나이들은 르블랑 씨를 밧줄로 묶고, 그들 중 두 명이 그 주소지로 마차를 타고 떠났다.

마리위스는 초조했다.

'딸이라면 그 아가씨를 말하는 것 아닌가! 그녀가 위험危險에 처하게 될지도 몰라. 만약 그런 일이 생긴다면 난 목숨을 걸고 그녀를 구할 것이다.'

방 안은 조용했고 르블랑 씨도 사나이들도 모두 편지를 가지고 떠난 사나이들을 기다리고 있었다. 한 시간쯤 지나자 계단을 뛰어오르는 소리가 들렸다.

"엉터리 주소야! 저 늙은이가 당신을 속였어. 나 같으면 먼저 늙은이의 입을 찢어 놓았을 텐데. 그 주소엔 아무도 살지 않아."

화가 치민 테나르디에는 잠시 동안 아무 말도 하지 않다가 르블랑 씨를 보며 천천히 말했다.

"당신, 제정신이야? 감히 가짜 주소를 대다니."

"시간을 벌기 위해서였지."

이와 동시에 르블랑 씨는 벌떡 일어섰다. 그를 묶었던

위험(危險) : 실패하거나 목숨을 위태롭게 할 만함. 안전하지 못함.

밧줄은 어느 새 끊어져 있었다. 사나이들이 덤벼들기도 전에 그는 난로煖爐 속에서 붉게 달아오른 쇠꼬챙이를 머리 위로 쳐들었다.

"내 목숨은 그다지 중요하지 않아. 자네들이 자꾸 쓰고 싶지 않은 글을 쓰게 한다면 죽어 주지!"

르블랑 씨는 시뻘겋게 달아오른 쇠꼬챙이를 자기의 왼팔에 갖다 댔다. 그러자 살이 타는 소리가 들리고 살 타는 냄새가 났다.

"가엾은 사람들. 나를 무서워하지 말게, 내가 자네들을 무서워하지 않는 것처럼."

그렇게 말하고는 쇠꼬챙이를 창 밖으로 집어던지더니 이제 마음대로 하라고 말했다. 테나르디에가 붙잡으라고 소리치자 두 사나이가 그의 어깨를 붙잡았다. 마리위스는 다시 권총을 만지작거렸다.

그 때였다. 문 밖에서 권총 소리를 기다리다가 참다 못

난로(煖爐) : 여러 가지 연료나 전기를 이용하여 방 안의 온도를 올리는 기구.

너희들은
죽음이 두렵겠지.
하지만 나는
그렇지 않아.
이, 이럴 수가…….
치익
뭐냐,
저 괴물은…….
할아버지가
장난이 아닌데?

한 자베르와 경찰들이 방으로 뛰어들었다. 사나이들은 내려놓았던 흉기를 다시 집어 들었다. 자베르가 사나이들을 향해 소리질렀다.

"이봐, 우리는 열다섯이야. 맞붙어 싸워 봤자 너희들 손해다. 신사적으로 해결하자."

경찰들이 사나이들을 모두 체포했다. 자베르는 그들에게 잡혀 있던 인질을 찾아보았다. 그러나 인질은 이미 사라지고 없었다. 한 경찰이 창 밖을 내다보았다. 창틀에 걸려 있는 줄이 아직도 흔들리고 있었다. 인질 르블랑은 도망치고 없었다. 그 인질은 바로 자베르가 노린 장 발장이었다.

와우, 007 영화보다
스릴 있는걸?
자, 눈치가 빠른 친구라면
장 발장이 어떤 방법으로
밧줄을 풀었는지
알아챘겠지?

"젠장, 또 놓치다니."

경찰이 나중에 자세히 조사한 결과, 그 집에서는 동전 속에 감춰질 정도의 작은 강철 톱과 두 개로 나눠진 동전이 발견되었다.

5장
사랑에 빠진 코제트

장 발장과 코제트는 수녀원에서 행복한 시간을 보냈다. 장 발장은 '이 아이는 매일같이 훌륭한 교육을 받고 있고 이대로라면 아주 훌륭한 수녀가 될 것이다. 그리고 나는 그 모습을 보며 이 곳에서 늙어 죽을 것이다.' 라는 생각에 행복했다. 하지만 마음이 늘 편한 것만은 아니었다.

'과연 코제트는 수녀가 되고 싶어할까? 이 행복은 내가 이 아이에게서 훔쳐 낸 것이 아닐까? 이 아이의 시련을 막아 준다는 구실은 사실 나의 시련을 막기 위한 방패는 아닐까?'

그는 때때로 이런 생각으로 괴로워했다. 밖으로 나가면

다시 교도소에 가게 될지도 모른다는 이유로 코제트를 수녀로 살게 할 순 없었다. 게다가 교육도 거의 다 끝나 가고 있었다. 결국 그는 수녀원을 떠나기로 결심하고 적절한 때를 기다리고 있었는데, 포슐방 노인이 죽었다.

장 발장은 원장 수녀님에게 형이 유산을 남겨 더 이상 일을 하지 않아도 살 수 있다고 말하고 코제트와 함께 수녀원을 떠났다.

장 발장은 다시 자유로운 세상으로 나가게 된 것이 불안해서 집을 세 곳이나 얻어 두고 옮겨 가며 생활했다. 코제트는 수녀원에서 집안일을 배워 두었기 때문에 살림을 잘 꾸려 나갔다. 장 발장은 코제트와 함께 뤽상부르 공원을 산책散策하고 일요일에는 미사에 참여하며 가난한 사람들에게는 자선을 베풀면서 새로운 삶을 살았다.

하루는 집안일을 도와 주는 아주머니가 장 발장에게 이렇게 말했다.

산책(散策) : 한가한 마음으로 또는 가벼운 기분으로 이리저리 거닒.

캬아~, 남녀의 마음은
신비롭다니까.
눈빛만 마주쳐도
애가 타잖아?

"코제트가 요즘 무척 예뻐졌어요. 그렇지 않아요?"

그 무렵 코제트는 사랑에 빠져 있었다. 그녀 역시 산책길에서 마주치던 청년, 마리위스를 마음에 두고 있었다. 사실 그녀는 아침에 눈을 뜨자마자 가장 먼저 마리위스를 떠올리곤 했다. 그러다 마리위스를 더 이상 만날 수 없게 되자 슬픔에 빠졌다. 장 발장은 이런 경험이 없었기 때문에 당황했다. 장 발장은 딸을 누군가에게 빼앗길 것 같아 가슴이 아팠다.

장 발장과 코제트는 가난한 사람들을 찾아다니며 함께 봉사를 했는데, 그런 날에는 코제트도 약간 쾌활해졌다.

테나르디에에게 적선을 하러 갔다가 겪은 큰 사건이 있고 난 다음 날에도 장 발장은 태연한 척했지만, 왼팔에 입은 큰 화상만은 감출 수 없었다. 장 발장은 적당히 둘러댔고 코제트는 더 이상 묻지 않고 상처를 치료해 주었다. 그 일로 장 발장은 둘 사이에 즐거움이 다시 찾아오는 것 같아서 '참으로 고마운 흉터'라고 생각했다. 그러나 사실 코제트는 마리위스를 볼 수 없게 된 슬픔을 장 발장에게 들키지 않도록 조심하고 있던 것뿐이었다.

4월의 어느 날, 코제트는 정원의 벤치에 앉아 명상에 잠겨 있었다. 그러다가 천천히 정원을 한 바퀴 돌고 다시 벤치로 돌아왔다. 그 때 그녀는 아까 자기가 앉아 있었던 자리에 제법 커다란 돌멩이가 놓여 있는 것을 보았다.

'분명 좀 전까지만 해도 없었는데.'

코제트는 조심스럽게 돌멩이를 살펴봤다. 그 돌멩이 밑에는 편지가 있었다.

사랑 때문에 영혼이 슬퍼하는 것은 얼마나 심각한 것인가. 그러나 사랑하는 사람들은 서로 만나지도 못하고 편지도 주고받을 수 없지만 새들의 노래와 꽃 향기, 아이들의 웃음소리, 햇살과 별빛을 통해 서로 만날 수 있다.

인생의 비밀은 사랑 안에 있을 때 발견된다. 사

이런 감동적인
사랑 고백이!
코제트, 좋겠다~.
얼굴 빨개진 거 봐.

랑처럼 풍족한 것은 없다. 이 세상世上에 사랑하는 사람이 없다면 태양도 그 빛을 잃으리라.

누가 보냈을까? 그녀의 마음 속에는 오직 한 사람만이 떠올랐다. 그 때 누군가 등 뒤로 다가왔다. 그녀는 돌아보지 않아도 누구인지 알 수 있었다.

"당신을 처음 만났던 뤽상부르 공원에서의 일이 생각나는군요. 나는 밤마다 여기 왔습니다. 내가 당신을 얼마나 그리워했는지를 알아주세요."

이렇게 말한 마리위스가 조심스럽게 물었다.

"혹시 당신도 나와 같은 생각인가요?"

코제트는 조심스럽게 고개를 끄덕였다. 둘은 밤늦도록 긴 이야기를 나눴다.

"당신 이름은 뭐죠?"

"난 마리위스요. 당신은?"

세상(世上) : 사람이 살고 있는 모든 사회를 통틀어 이르는 말.

"코제트."

그 날 이후로 마리위스는 매일 밤 코제트를 만났다. 장 발장은 아무것도 모르고 있었다. 다만 코제트가 행복幸福해 보였기 때문에 그도 행복했다.

멋진 마리위스와
아름다운 코제트!
정말 잘 어울리는
완벽한 한 쌍이야!

그렇게 시간은 흘러 그들이 다시 만난 지 두 달이 지났다. 그 즈음 장 발장은 길을 걷다가 테나르디에의 모습을 발견했다. 테나르디에가 탈옥한 것이다. 때문에 장 발장은 어서 빨리 파리를 떠나야겠다고 생각했다. 그래서 코제트에게 떠날 준비를 하라고 말했다. 아무것도 모르는 코제트는 마리위스와 헤어질 생각을 하니 눈물이 나왔다.

그 날도 마리위스는 코제트를 찾아갔다. 뜻밖에 코제트는 울고 있었다.

"무슨 일이에요?"

행복(幸福) : 심신의 욕구가 충족되어 기쁘고 넉넉하고 푸근함, 또는 그런 상태.

내가 당신을 얼마나 사랑하는지 알아요? 당신과 결혼할 수 있다면 뭐든지 하겠어요.
나도 당신을 사랑해요. 하지만 우린 아무런 힘도 없어요.

"아버지와 함께 곧 영국으로 가야 할 것 같아요."

"코제트, 정말 갈 생각이오?"

"아버지가 가신다면 저도 가야 해요."

장발장이 떠나는 이유는 그것 말고도 또 있지. 프랑스 사회가 뒤숭숭했거든. 중심지인 파리에서는 큰 회오리바람이 불어닥칠 기세였어.

마리위스는 하늘을 올려다보았다. 다시 코제트를 바라봤을 때 그녀는 미소를 짓고 있었는데, 마리위스에게는 이것이 암흑 속의 빛처럼 느껴졌다.

"좋은 생각이 있어요. 곧 행선지를 알려 드릴 테니 저를 찾아오세요."

"하지만 내게는 영국에 갈 만한 돈이 없어요."

그는 나무에 머리를 기대고 괴로워했다. 그녀는 그의 곁에서 눈물지었다.

"코제트, 이틀만 나를 기다려 줘요. 다녀올 곳이 있소."

마리위스는 할아버지를 찾아갔다. 질노르망은 벌써 아흔을 훌쩍 넘긴 노인이었다. 사실 질노르망은 이제 마리위스를 다시는 못 볼지도 모른다는 생각에 그가 돌아오기만을 간절히 기다렸다. 그런데 막상 손자를 보자 마음에도 없는 차가운 말이 튀어나왔다.

"여긴 왜 온 게냐?"

"결혼을 하려고 합니다."

질노르망은 손자를 본 반가움, 그리고 도와 주고 싶다는 속마음과는 달리 냉혹한 말들만 쏟아 냈다.

"흥, 네가 돈이 필요해서 기어들어온 걸 보니 어디서 가난한 여자를 만난 게로구나."

그 말에 마리위스는 뒤도 돌아보지 않고 뛰쳐나왔다. 질노르망은 손자가 뛰쳐나가는 것을 보고 후회했지만 되돌릴 수 없었다.

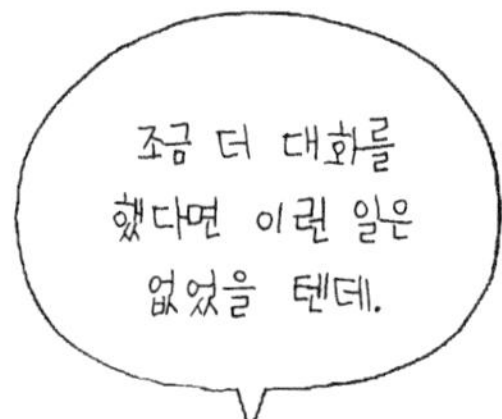

마리위스는 희망을 품고 할아버지를 찾았지만 모욕만 받고 나왔다. 그리고 코제트를 찾아갔지만 만날 수 없었다. 마리위스는 절망에 가득 차서 무덤처럼 텅 빈 그 집을 멍하니 바라보았다.

'다시는 그녀를 볼 수 없단 말인가? 그건 내 인생이 끝난다는 소리와 다름없는데…….'

그 때 마리위스를 부르는 여자의 목소리가

들렸다. 기대에 차서 돌아보았지만 그녀는 코제트가 아닌 에포닌이었다.

"여기 계셨군요. 한참 찾았어요. 거리는 온통 공화파로 가득 차 있어요. 당신의 친구들도 모두 샹브르리 거리에서 기다리고 있대요."

1832년 6월 5일, 파리에는 폭동暴動의 물결이 밀려오고 있었다. 그 시기에는 왕당파에 대항하는 공화파의 열기가 거세어지고 있었다. 대부분의 젊은이들은 공화파에 속해 있었고 마리위스와 친구들도 마찬가지였다. 정부는 공화파에 관련된 젊은이들을 모조리 잡아들였지만, 새로운 나라를 만들고 싶어하는 젊은이들의 열정은 쉽게 꺼지지 않았다. 그러던 중 파리 시내에서 시민군과 정부군이 무기를 들고 대치하는 상황이 벌어졌다.

'코제트와 함께 할 수 없다면 내 인생은 끝난 것이나 다름없어! 이렇게 된 거 혁명에 참가하여 나라를 위해 목

폭동(暴動) : 어떤 집단이 폭력으로 소동을 일으켜서 사회의 안녕을 어지럽히는 일.

마리위스의 선택은
어쩔 수 없었어.
에포닌의 막냇동생인
어린 소년까지 혁명에
참여하던 상황이었거든.

숨을 바치자.'

마리위스는 아직 할 얘기가 남아 있는 듯한 에포닌을 두고 광장으로 빠르게 달려갔다.

시민들은 아이 어른 할 것 없이 광장에 모여 정부군과 싸웠다. 그들은 힘을 모아 정부군에게 대항할 바리케이드를 세우고 있었다. 벽돌과 돌멩이가 쌓였고, 각자 집에서 들고 나온 탁자며 술통, 막대기까지 사용해 높이높이 쌓았다. 비록 급히 만들어 허술하기 짝이 없는 바리케이드였지만 그것이 정부군으로부터 시민들의 안전을 지켜 줄 것이었다.

"목숨이 아깝다면 항복하라!"

정부군은 총을 쏘아 대며 바리케이드를 향해 진격해 왔다. 바리케이드가 무너진다면 시민군은 끝장이었다. 시민군의 대장은 앙졸라르였다. 그는 사람들의 기운을 북돋우며 큰 목소리로 외쳤다.

바리케이드는
적의 공격을 막으려고
임시로 만든
장애물을 말해!

"우린 죽음이 두렵지 않다! 새로운 프랑스, 만세!"

그러나 정부군은 점점 시민군 가까이 다가왔고 조금 있으면 바리케이드 위로 올라올 태세였다. 바리케이드의 맨 앞에서 싸우고 있던 시민군들은 정부군에게 점점 뒤로 밀리고 있었다.

그 때 마리위스가 화약통을 들고 나타났다.

"퇴각하라! 그렇지 않으면 바리케이드를 폭파시켜 버리겠다!"

마리위스는 바리케이드 꼭대기에서 고함을 질렀다.

죽음을 각오하지
않고서는 어려운 일이지,
화약통이 터지면 제일 먼저
죽는 건 마리위스일 테니까.

군인 중 한 사람이 마리위스를 겨냥해 총을 쏘았지만 옆에 있던 누군가가 재빨리 총구를 손으로 잡았고 총알은 빗나갔다. 마리위스가 화약에 횃불을 가까이 하자 군인들은 뒤로 물러났다.

한숨을 돌린 마리위스가 바리케이드 옆으로 돌아가려 할 때 어둠 속에서 누군가 그의 이름을 불렀다. 그 목소리의 주인공은 바로 에포닌이었다.

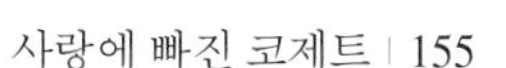

"마리위스……, 여기예요."

자세히 살펴보니 옆방에 살았던 불행不幸한 처녀 에포닌은 남장을 했는데, 넘어질 듯 불안한 자세를 하고 있었다. 에포닌을 일으켜 세우려던 그의 팔이 그녀의 손에 닿았다. 그러자 그녀는 짧게 비명을 질렀다.

"왜 그래요?"

에포닌은 자신의 손을 들어 보였는데 손바닥에는 구멍이 뚫려 있었다.

흑흑흑,
아름답게 꾸며 보지도 못하고
고생만 하던 에포닌,
마지막이 너무 슬프다.

"대체 어떻게 된 거예요?"

"아까, 당신을 겨누던 총을……, 내가 손으로 막았어요. 당신은 몰랐죠?"

"힘내요. 죽지 않을 거요."

"하하, 늦었어요."

에포닌은 힘없이 웃었다. 그제야 마리위스는 그녀의 몸에서 흘러나오는 피를 보았다. 총알이 손바닥을

불행(不幸) : 행복하지 못함.

뚫고 등을 관통한 것이었다. 마리위스는 젖은 눈동자로 그녀를 바라보았다.

"미안해요. 제, 주머니에……, 편지가 있어요. 그 여자, 영국으로 떠난 그 여자의 편지예요……. 전해 주고, 싶지, 않았는데……."

마리위스가 편지를 꺼내자 에포닌은 미소를 지었다.

"약속해, 주세요. 제가 죽거든……, 제 이마에, 입을 맞춰 주시겠다고……."

그 말을 마치고 에포닌은 힘이 빠지는지 슬며시 눈을 감았다. 그러다가 다시 천천히 눈을 뜨고는 마지막으로 말했다.

"마리위스 씨, 나……, 당신을 사랑했던 것 같아요."

미소를 짓는 에포닌은 숨을 거뒀다. 마리위스는 그녀와의 약속을 지키기 위해 이마에 입을 맞추었다. 다정한 작별作別 인사였다. 그리고 마리위스는 그녀를 땅에 눕히고

작별(作別) : 서로 헤어짐.

물러나지 마!
아아…….
그 아가씨가 될 수
없다는 걸 알면서도…….
당신을 사랑했나 봐요.
미안해요. 나 같은 게…….

탕
탕
쏴라!
바리케이드를 지켜라!
으악!

편지를 읽기 시작했다.

그리운 마리위스!

아버지와 저는 곧 출발합니다. 오늘 밤에는 옴 아르메 가 7번지에 있겠지만, 일주일 후에는 런던에 있을 것입니다.

– 6월 4일, 코제트로부터.

마리위스는 코제트가 남긴 편지를 읽고 당장 코제트에게 달려가고 싶었다. 하지만 여전히 돈이 없고 코제트는 곧 떠난다. 그는 대의를 위해 죽을 수밖에 없는 처지이지만 우선 코제트에게 작별 인사를 해야겠다고 생각했다. 그는 그녀에게 편지를 썼다.

마리위스는 코제트를
여전히 사랑하지만,
지금은 목숨이 경각에 달린
위험한 상황이니까
그녀를 떠나보내는 거야.

약속을 지키지 못해서 미안합니다. 당신 집에 달려갔지만 당신은 없었습니다. 하지만 영원히

당신만을 사랑하겠다는 맹세는 지킬 것입니다. 나는 죽습니다. 당신이 이 글을 읽을 때, 내 영혼은 당신 곁에서 미소지을 것입니다. 사랑합니다, 코제트.

봉투가 없었기 때문에 마리위스는 종이를 접은 다음 그 위에 주소를 썼다. 그리고 늘 지니고 다니던 수첩 첫 장에 이렇게 썼다.

내 이름은 마리위스. 내 시신은 마레 지구 피유뒤칼베르가에 있는 질노르망 씨의 집으로 옮길 것.

그는 수첩을 주머니에 넣고 마침 옆을 지나가던 소년을 불러 세웠다.

"심부름을 해 주렴."

"어떤 일인데요?"

"이 편지를 가지고 바리케이드를 빠져 나가 이 주소에 있는 코제트 양에게 전해 주렴."

"하지만 그 동안 바리케이드가 점령占領되면 나는 싸워 보지도 못할 텐데요."

"새벽까지는 괜찮을 거야. 어서 다녀오렴."

소년은 편지를 가지고 코제트가 있는 집에 도착했다. 그 때 장 발장은 뭔가 기분이 이상해서 집 앞을 서성거리고 있었다.

"할아버지, 7번지가 어디에요?"

"거길 왜 찾니?"

"편지를 전해 주려고요."

"혹시 코제트 양에게 온 편지니?"

"네, 그런 이름이었어요."

"이리 다오. 내가 전해 주마."

소년은 편지를 건네주고는 경례를 하고 돌아갔다. 장 발장은 마리위스의 편지를 들고 집으로 돌아와 읽었다. 편지 내용 중 장발장의 눈에 '나는

코제트의 편지는
에포닌이 가로채고,
마리위스의 편지는
장 발장이 가로채고.
에휴, 힘들다, 힘들어.

점령(占領): 일정한 땅이나 대상을 차지하여 자기 것으로 함.

죽습니다. 당신이 이 글을 읽을 때, 내 영혼은 당신 곁에서 미소지을 것입니다.' 라는 구절만이 눈에 들어왔다.

장 발장은 이제 다시 코제트와 함께 있을 수 있게 되었다고 생각하고 한숨을 돌렸다. 편지를 주머니에 넣어 두고 잊어버리면 되는 것이다. 그러면 코제트는 마리위스라는 청년이 어찌 되었는지 평생 알지 못할 것이다. 하지만 이런 생각과 동시에 장 발장은 또다시 자신이 코제트의 행복을 가로막고 있다고 생각했다. 한 시간 뒤, 그는 국민병 복장을 하고 마리위스를 찾아 나섰다.

6장
장 발장

시민들의 행렬이 비에트 거리를 지나 샹브르리 거리에 다다랐을 때, 반백의 노인이 슬그머니 그들 사이로 끼어들었다. 한 소년이 시민군 대장인 앙졸라르에게 그 노인을 가리키며 스파이라고 알려 주었다. 앙졸라르는 건장한 청년들을 데리고 그에게 다가갔다.

"당신은 누구요?"

그는 느닷없는 질문을 받고도 히죽 웃을 뿐이었다.

"당신 이름은?"

"자베르."

앙졸라르는 청년들을 시켜 그의 소지품을 빼앗고 묶어

버렸다. 그의 소지품에서 신분증과 봉투에 넣은 종이가 한 장 나왔는데 거기에는 이렇게 적혀 있었다.

자베르, 불순 분자가 센 강 오른쪽이나 다리 부근에서 어떤 행동을 하고 있는지 감시監視하라.

자베르는 기둥에 꼼짝 못하게 묶였으나 침착하게 고개를 들었다. 앙졸라르는 그에게 바리케이드가 점령되기 2분 전에 총살하겠다고 말했다.

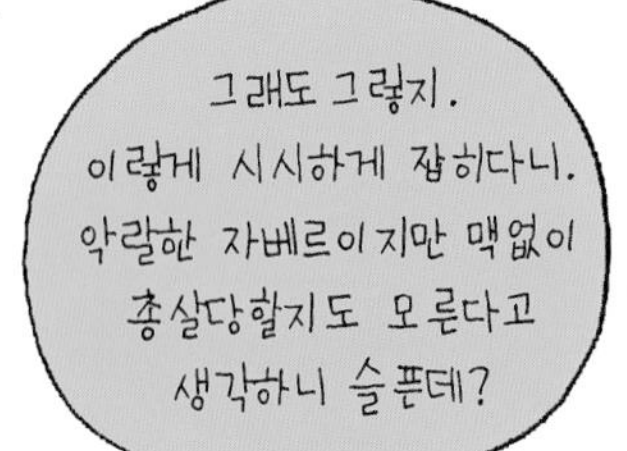

새벽이 가까워지자 정부군의 포격은 점차 거세졌다. 포탄 때문에 이제 더 이상은 시민군이 버티기 어려운 상황이었다. 앙졸라르가 외쳤다.

"총알을 막으려면 짚으로 만든 요가 필요해!"

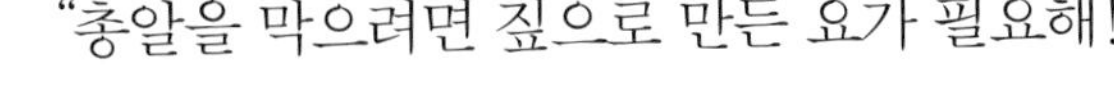

감시(監視) : 단속하기 위하여 주의 깊게 살핌.

하지만 짚으로 만든 요는 부상자들이 깔고 누워 있었다. 사람들은 짚으로 만든 요 하나가 건물 창문에 매달려 있는 것을 보았지만 그것을 가져올 방법이 없었다.

그 때 국민병 복장 차림의 장 발장이 낮은 목소리로 말했다.

"누가 내게 2연발 총을 빌려 주시오."

장 발장은 요를 매단 끈을 겨냥해 총을 쏘았다. 그러자 줄이 끊어지더니 요는 시민군과 정부군의 중간쯤 되는 곳 땅바닥에 떨어졌다.

"저걸 누가 가져오지?"

그 말이 채 끝나기도 전에 장 발장은 빗발치는 총알을 피해 요를 주워 등에 지고는 바리케이드로 돌아왔다. 순식간에 일어난 일이었다. 그러고는 침착하게 바리케이드의 빈 틈에 요를 넣어 막았다. 그러자 포탄이 떨어지면서 퍼지는 산탄은 더 이상 큰 충격을 주지 못하고 바리케이드 주변에 흩어졌다.

하지만 시민군의 희망은 오래가지 못했다. 탄약은 점점

떨어져 갔고 시민군은 다시 위기에 처했다.

그러자 시민군들은 시민군의 대장 앙졸라르의 명령에 따라 전원 돌격할 준비를 했다. 앙졸라르는 아까 붙잡아 묶어 두었던 자베르를 보며 말했다.

"마지막으로 여기서 나가는 사람이 이 스파이를 쏘기로 한다."

이 때 장 발장이 나타나 앙졸라르에게 말했다.

"내가 이 사나이를 쏠 수 있도록 허락해 주시오."

"좋소. 이 스파이를 끌고 가시오."

장 발장은 그를 일으켜 세우고 권총을 장전했다. 자베르는 웃었다. 그리고 시민군을 노려보며 말했다.

"너희들 역시 무사하지 못할 거다."

그 때 앙졸라르가 '돌격' 이라고 소리쳤다. 모두 밖으로 나갔다. 장 발장도 자베르를 끌고 밖으로 나갔다. 그리고 바리케이드를 넘어 집 모퉁이의 작은 길로 들어섰다. 공터가 나오자 주변에는 아무도 없었다. 자베르는 장 발장에게 말했다.

"복수하게."

장 발장은 주머니에서 단도를 꺼내 들었다.

"그래, 그것이 더 어울리겠군."

장 발장은 칼로 자베르의 손과 허리, 발을 묶었던 동아줄을 끊어 주었다.

"자유일세."

자베르는 놀라지 않을 수 없었다. 자신이 평생을 괴롭혀 온 장 발장이 자기를 풀어 준 것이다. 그는 어떻게 해야 할지 알 수가 없어서 그냥 서 있기만 했다. 장 발장이 다시 말했다.

"나는 아마 여기서 탈출하지 못할 걸세. 하지만 만에 하나 나가게 된다면 옴아르메 가 7번지에서 포슐방이라는 이름으로 살고 있으니 찾아오게."

자베르는 아무 말 없이 시장 쪽으로 발걸음을 옮기다가 뒤돌아서서 장 발장에게 소리쳤다.

"이건 나를 괴롭히는 일입니다. 그냥 차라리

뭐야.
나를 왜 풀어 주는 거지?
차라리 죽이라고!
어서 가게.
우우. 장 할아버지
분명 후회할 거야.

자베르는 왜
갑자기 존댓말을 썼을까?
아마 자기도 모르게
존경하는 마음이 생겼기
때문이겠지?

나를 죽이십시오."

자베르는 자신도 모르는 사이에 장 발장에게 존댓말을 하고 있었다.

"잘 가게."

자베르는 느린 걸음으로 멀어져 갔다. 그의 모습이 더 이상 보이지 않자 장 발장은 공중을 향해 권총을 쏘고는 다시 바리케이드로 돌아왔다.

장 발장은 마리위스를 찾아 냈다. 그 순간 군인들이 돌격突擊해 오기 시작했다. 장 발장은 마리위스 옆으로 달려갔다. 둘은 총알을 피해 숨을 곳도 없는 상태에서 군인들에 맞서 싸우고 있었다.

"탕!"

총탄 하나가 마리위스의 어깨를 뚫고 지나갔다. 마리위스가 정신을 잃고 쓰러지는데 갑자기 억센 손에 붙들리는 느낌이 들었다. 장 발장이 그를 붙들어 주었던 것이다.

돌격(突擊) : 돌진하여 공격함.

'어떻게 해야 하지? 이 곳에서 빠져 나갈 수 있는 것은 하늘을 날 수 있는 새뿐이야.'

장 발장은 눈앞에 보이는 집을 바라보았다. 그 집의 담 옆에 한쪽이 부서진 하수도 뚜껑이 있었다. 그것을 들어 올리면 그 밑으로 빠져 나갈 수 있을 것 같았다. 장 발장이 마리위스를 붙들고 뛰어가 하수도 뚜껑을 들어올리자 구멍이 나왔다. 그 곳은 파리의 하수도였다. 그들이 그 속으로 들어가 모퉁이를 돌았을 때, 희미하게나마 비추던 빛이 사라졌다. 장 발장은 마리위스를 등에 업고 미로를 더듬어 나갔다. 마리위스의 몸에서 흐르는 미지근한 피가 장 발장의 옷 속으로 스며들었다. 하수도의 깊은 곳까지 들어가자 진흙 수렁이 나타났고 수렁은 점점 깊어졌다. 그러나 장 발장은 멈출 수가 없었다. 허리께에서 찰랑거리던 물은 곧 목까지 차올랐다. 앞으로 나가려고 발버둥쳤지만 미끄러운 진흙에 발이 푹푹 빠져 걷기가 힘들어 한 발

하수도를 통해
빠져 나가는 것도
쉽지만은 않을 거야.
깜깜해서 어디가
어딘지 알 수 없잖아.

으아…….
위태로운 순간이야.
이러다 둘 다
숨이 막혀 죽겠어!

자국도 앞으로 나아갈 수 없었다. 장 발장은 미친 듯이 몸을 흔들며 발을 움직였다.

그러자 기적처럼 발 밑에 딱딱한 발판이 디뎌졌다.

'살았다.'

그는 안도의 한숨을 쉬고 앞으로 계속 전진했다. 출구가 보였다. 장 발장은 얼음처럼 찬 진흙을 뒤집어쓴 채, 다 죽어 가는 마리위스를 등에 업고, 신께 감사의 기도를 올렸다.

그러나 출구는 튼튼한 철책으로 막혀 있었다. 장 발장은 절망적인 상황에서 코제트의 얼굴을 떠올렸다. 그 때 누군가 장 발장의 어깨에 손을 얹으며 말을 걸었다. 테나르디에였다. 탈옥한 테나르디에가 경찰의 추적을 피해 하수도에 숨어 있었던 것이다. 그는 진흙 범벅이 된 장 발장을 곧바로 알아보지는 못했다.

"이봐, 사람을 죽였군. 가진 돈 절반을 내놓는다면 이 문을 열어 주겠네. 내게 열쇠가 있거든."

으이구,
테나르디에는
앉으나 서나
돈, 돈, 돈,
돈 타령이군!

장 발장은 국민병 복장으로 갈아입었기 때문에 지갑을 가져오지 않았다. 조끼 주머니에 있는 돈을 세어 보니 30프랑가량 되었다.

테나르디에는 마리위스의 주머니를 뒤지면서 장 발장이 눈치채지 못할 만큼 빠르게 옷자락 한 조각을 뜯었다. 살인자殺人者를 찾는 증거물로 나중에 큰 돈을 뜯어 낼 생각이었다. 테나르디에는 장 발장이 내놓은 돈을 모두 가져간 후 마리위스와 장 발장이 겨우 나갈 수 있을 만큼 철문을 열어 주었다. 그는 장 발장이 하수도를 빠져 나간 지 얼마 되지 않아 그 진흙투성이 사나이가 장 발장일 거라고 생각했다.

밖으로 나온 장 발장은 비로소 공기를 깊이 들이마셨다. 그리고 몸을 굽혀 손바닥으로 냇물을 떠서 마리위스의 얼굴에 떨어뜨렸다. 마리위스는 눈을 뜨지 못했지만

살인자(殺人者) : 사람을 죽인 사람.

아직 숨은 붙어 있었다.

그 때 갑자기 등 뒤에 누가 있다는 것을 느낀 장 발장은 몸을 돌려 바라보았다. 거기에는 자베르가 손에 곤봉을 들고 서 있었다. 자베르는 바리케이드에서 벗어나자마자 경찰청에 가서 보고를 마친 후 곧바로 근무를 시작했고, 그러다가 테나르디에를 발견하고 그를 미행하는 중이었다. 자베르가 물었다.

"누구냐?"

"장 발장일세."

자베르는 눈을 가늘게 뜨고 진흙투성이의 사나이를 바라보았다. 틀림없는 장 발장이었다.

"여기서 무얼 하고 있소? 그리고 그 사나이는 누구요?"

이번에도 자베르는 장 발장에게 반말을 하지 않았다.

"부탁이네! 이 사나이를 집으로 데려다 주게."

장 발장의 몸이
얼마나 진흙으로 범벅이
됐으면, 예리한 자베르까지
첫눈에 못 알아봤을까?

"바리케이드 위에 있던 마리위스란 자로군."

그는 작은 소리로 중얼거리더니 마리위스의 손목을 잡고 맥을 짚어 보았다.

"아직 죽지는 않았군요."

"이 사나이를 마레 지구 피유뒤칼베르 가에 있는 질노르망 씨 집에 데려다 주게."

아까 마리위스가
수첩에 써 놓았기 때문에
그의 주소를
알 수 있었던 거죠.

장 발장은 마리위스의 옷 주머니를 뒤져 수첩手帖을 꺼내 자베르에게 내밀었다.

자베르는 마차를 불러 장 발장과 마리위스를 태우고 피유뒤칼베르 가로 향했다. 그리고 집 앞에 도착해 문지기에게 말했다.

"질노르망 씨 계신가?"

"무슨 일입니까?"

"마리위스라는 청년을 데리고 왔네."

수첩(手帖) : 간단한 기록을 하기 위하여 지니고 다니는 작은 공책.

마리위스는 2층으로 옮겨졌고 침대에 눕혀졌다. 장 발장은 자베르가 자기 어깨에 손을 올려놓았다는 것을 깨달았다. 그 뜻을 이해한 장 발장이 자베르에게 말했다.

"자베르, 부탁이 하나 더 있네. 집에 잠시 들르게 해 주게."

자베르는 이번에도 아무 말 없이 순순히 부탁을 들어주었다.

자베르가 묘한
표정을 지었다고?
자베르의 표정 하면
사악하게 웃는 모습밖에
생각나지 않는걸?

"마부, 옴 아르메 가 7번지로 가세."

장 발장은 코제트에게 사정을 이야기하고 마리위스가 있는 집을 알려 주려고 했던 것이다. 마차가 집 앞에 당도當到하자 자베르는 묘한 표정으로 말했다.

"여기서 기다리겠소."

장 발장은 자베르의 태도가 이상하다고 생각했다. 하지만 장 발장은 이미 자신의 목숨을 내놓았

당도(當到) : 어떤 곳이나 일에 닿아서 이름.

기 때문에 크게 놀라지는 않았다. 장 발장은 2층으로 올라가다가 계단에서 잠시 창문 밖을 내다보았다. 그 때 장 발장은 자신의 눈을 의심했다. 자베르가 사라지고 없었던 것이다.

자베르는 천천히 걸어서 노트르담 다리 모퉁이에서 걸음을 멈췄다. 그는 몇 시간 전부터 심각한 고민에 빠져 있었다. 자신이 평생 쫓아오던 범죄자 덕분에 목숨을 구했다. 하지만 은혜를 갚기 위해 그를 놓아 준다는 것은 경찰로서의 의무를 저버리는 일이다. 자베르는 미칠 것 같았다. 그리고 스스로 비겁하다고 느꼈다. 해가 질 때까지 그는 아무 말도 없이 흐르는 강물을 바라보았다. 어느 새 주위는 어둑어둑해졌다.

그래. 장 발장을 쫓는
자베르도 힘들었을 거야.
경찰로서 책임감 때문에
여기까지 달려온 거겠지.

자베르는 고개를 숙여 다리 밑을 내려다보았다. 그러더니 갑자기 모자를 벗어 다리 난간에 올려놓

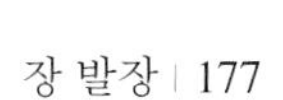

았다.

밤늦게 그 곳을 지나던 사람의 증언에 따르면 한 사나이가 강 쪽으로 몸을 굽혀 암흑 속으로 떨어졌다고 한다. 그가 누구인지 아는 것은 오직 어둠뿐이었다.

마리위스는 오랫동안 깨어나지 못했다. 그는 며칠 밤을 고열에 시달리며 코제트의 이름을 불렀다. 그로부터 석 달이 지나서야 마리위스는 서서히 회복回復했다. 질노르망은 하루도 빼놓지 않고 손자를 간호했다. 그리고 의사로부터 마리위스가 위기를 넘겼다는 말을 듣고 뛸 듯이 기뻐했다.

그렇게 코제트의
이름을 불러 대니.
할아버지가 코제트의
존재를 눈치채고도 남지.

마리위스는 정신이 든 후에도 자기 목숨을 누가 구했는지 알 수 없었다. 단지 그의 머릿속에는 코제트를 찾아야 한다는 생각만으로 가득했다.

회복(回復) : 이전의 상태로 돌아옴.

자베르!
자살은 죄악이라고~
꼬르륵.

"코제트를 데려오도록 해라. 코제트도 날마다 사람을 보내서 네 병세를 알아보게 했단다. 네가 다친 이후로 그 아이는 울면서 하루하루를 보내고 있다더구나. 코제트와 결혼해서 행복하게 살아라."

이렇게 말하는 질노르망의 눈에는 눈물이 맺혀 있었다. 마리위스는 질노르망을 와락 끌어안았다.

"할아버지!"

마리위스가 외쳤다.

"그래, 마리위스. 다시 할아버지라고 불러 줘서 고맙구나, 고마워."

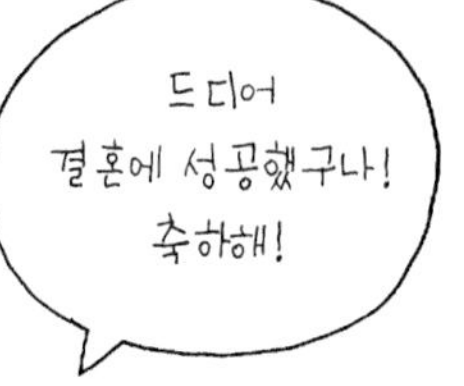

코제트와 마리위스는 1833년 2월 16일에 결혼식을 올렸다. 장 발장은 코제트의 결혼 지참금으로 전 재산인 60만 프랑을 주었다. 하지만 장 발장은 몸이 아프다는 핑계로 결혼식에 참석하지 않았다.

장 발장은 며칠 뒤 마리위스를 찾아갔다.

"결혼식에 오시지 않아 걱정했습니다."

"사실, 갈 수가 없었네. 마리위스, 지금부터 내 말을 잘 들어주게."

"네?"

"나는 절도죄竊盜罪로 19년 동안 교도소에서 지냈지. 사실은 지금도 도망 중이네. 더구나 나는 코제트의 친아버지가 아니야. 사실 코제트와는 아무런 혈연 관계도 없다네."

마리위스는 뜻밖의 고백에 깜짝 놀랐다.

"그게 무슨 말씀이세요?"

그러나 마리위스는 그의 표정에서 모든 이야기가 진실임을 알 수 있었다.

"사실일세. 10년 전까지만 해도 코제트와 나는 아무런 상관이 없었지. 하지만 내가 코제트의 아버지로서 코제트를 사랑하고 있는 것만은 분명

절도죄(竊盜罪) : 남의 재물을 몰래 훔친 죄.

하네. 양심良心을 속일 수 있다면, 나는 다른 사람의 이름을 갖고 아무렇지도 않게 매일 코제트를 보며 행복하게 살 수도 있었을 걸세. 하지만 더 이상은 싫어. 옛날에는 굶주렸던 조카들을 위해 빵 한 조각을 훔쳤지만, 지금은 남의 이름을 훔쳐 행복하고 싶진 않네."

장 발장은 거울 앞에 멈춰 서서 자신의 모습을 바라보며 이렇게 말했다.

"이제 코제트를 볼 수 없겠지?"

"그러는 것이 좋을 것 같습니다."

마리위스는 차갑게 대답했다.

장 발장은 바깥으로 나가는 문의 손잡이를 잡고 잠시 망설이다가 돌아섰다.

"나를 이해해 줄지 모르지만……. 아주 가끔만, 아주 가끔만 코제트를 만나러 오겠네."

"그러시다면……."

장 발장의 마음을
이해할 것 같아.
10년 동안이나 키워 온
딸인데, 한순간에 인연을
끊는 게 쉬운 일이겠어?

양심(良心) : 선과 악을 깨달아 바르게 행하려는 마음.

마리위스는 측은한 마음이 들어 이렇게 말했다. 그러나 코제트의 친아버지도 아닌데다 전과자라는 사실이 꺼림칙한 것만은 숨기지 못했다.

몇 달이 지난 어느 날 저녁, 마리위스에게 편지가 한 통 배달되었다. 편지 봉투에는 '퐁메르시 남작 귀하' 라고 쓰여 있었다.

나는 남작 부인과 관련된 어떤 인물에 관한 비밀을 알고 있습니다. 객실에서 남작의 결정을 기다리고 있겠습니다.

편지에는 '테나르' 라는 서명이 있었다. 마리위스는 그자가 테나르디에이며 자신이 은혜를 갚아야 할 사람이라는 것을 알아챘다. 그는 그자를 만나 보기로 했다.

"테나르 씨입니다."

문지기를 따라 행색이 초라한 노인이 들어섰다. 단정하게 단추를 채웠지만 남의 옷을 빌려 입었는지 옷이 헐렁

'테나르?'
'테나르?'
누구 이름이랑 비슷하다.
그치?

했다.

"용건이 뭐요?"

"저는 남작님과 관계된 비밀들을 많이 알고 있습니다. 남작님 댁에는 지금 도둑이자 살인자인 놈이 몰래 드나들고 있지요. 그 사나이의 본명本名을 알려 드리러 찾아왔습니다."

"장 발장을 말하려는 건가?"

"아, 아니. 그걸 어떻게? 하지만 그가 어떤 자인지도 아십니까?"

"알고 있소. 그 밖의 비밀도 모두!"

"헤헤. 남작님이 모르는 게 아직 있을 것입니다. 저에게 1만 프랑만 주시면 모두 말씀드리지요."

마리위스는 가만히 그를 노려보았다.

"테나르디에, 나는 당신이 누군지도 알고 있소."

"테나르디에라뇨? 그게 누굽니까?"

본명(本名): 원래 이름. 실명.

난 당신이
누군지 알고 있어!
가! 가란 말이야!
헉
앗, 망했다…….

테나르디에는 본능적으로 위험이 닥친 것을 알고 움츠러들었다.

"당신의 또다른 이름은 종드레트. 또 몽페르메유에서 여관을 했지."

"여관이라니요, 천만에요."

"잡아떼도 소용 없소, 이런 악당!"

그렇게 말하면서 마리위스는 500프랑짜리 지폐를 꺼내 그의 얼굴에 던졌다. 테나르디에는 비굴하게 고개를 숙여 마룻바닥에 떨어진 500프랑을 집어 주머니에 넣었다.

마리위스는 계속해서 말을 이었다.

"나는 당신이 무슨 말을 하려는지 모두 알고 있어. 그래, 장 발장은 살인자에 도둑놈이지. 마들렌이라는 유명한 부자를 파산시키고 그 돈을 훔친 도둑놈이며, 자베르라는 경관을 죽인 살인자이지."

"무슨 말씀인지 모르겠습니다. 남작님은 잘못

테나르디에는
돈 앞에서 마지막 자존심까지
버린 사람이야.
알고 보면 정말
불쌍한 인간이지.

알고 계신 것 같군요. 장 발장은 결코 돈을 훔치지 않았습니다. 물론 자베르를 죽이지도 않았습니다."

"뭐라고?"

"장 발장이 곧 마들렌입니다. 그는 경찰에게 쫓기고 있었기 때문에 이름을 바꾼 것입니다. 그리고 자베르는 장 발장이 죽인 것이 아니라 자살自殺했습니다."

"뭐라고?"

"자베르는 다리 밑에서 익사체로 발견되었어요. 장 발장이 총으로 쏜 것이 아니란 말씀입니다."

그렇게 말하면서 테나르디에는 봉투에서 낡은 신문을 꺼내 그에게 보여 주었다. 1823년 7월 25일자 신문에 나온 기사는 장 발장이 마들렌과 같은 사람임을 증명해 주고 있었다.

"그렇다면 그분은 정말 위대한 사람이 아닌가? 그는 가난한 지방을 부유하게 만들었고, 코제트의 보호자이며,

자살(自殺) : 스스로 자기의 목숨을 끊음.

후후,
살인을 하셨군.
아, 아버님이
나를 구하셨어!

자베르를 죽이지 않았다!"

"하지만 그는 살인자입니다."

흥분한 마리위스에게 테나르디에가 외쳤다.

"지난 폭동이 있던 때 그가 하수구에서 시체를 등에 지고 가는 것을 보았습니다. 살인범이 틀림없습니다. 저는 증거를 남기기 위해 그 시체의 옷에서 천 조각을 떼어 냈습니다. 자, 여기!"

마리위스는 테나르디에가 내민 천 조각을 보고 얼굴이 창백해진 채로 자리에서 일어났다. 그리고 옷장으로 가서 자신의 코트를 꺼냈다.

"테나르디에! 그 시체 아니, 그 젊은이는 바로 나였어."

그는 옷장을 뒤져 검붉은 핏자국이 말라붙은 낡은 옷을 꺼냈다. 그리고 테나르디에가 가지고 있던 천 조각을 빼앗아 그 옷에 맞춰 보았다. 조각은 일치했다. 그 순간 테나르디에는 자기가 잘못 찾아왔다고 생각했다. 마리위스는 테나르디에 앞으로 다가가서 돈다발을 내밀며 외쳤다.

"도둑놈은 그가 아니라 바로 너다! 내가 너를 총으로 쏴 죽이지 않는 것은 다 워털루 전투 덕분이라고만 알고 있어."

"워털루라고요?"

"네가 거기서 한 대령大領의 목숨을 구하지 않았다면 나는 한 푼도 주지 않았을 거다. 자, 여기 3천 프랑이 더 있다. 어서 가지고 꺼져! 그리고 내일이라도 당장 이 나라를 떠나라. 너 같은 놈은 외국에 나가 목이라도 매고 죽어 버리는 편이 나을 거다."

에휴.
난 그 3천 프랑도 아깝네.
어쨌든, 테나르디에!
잘 먹고 잘 살아라.

테나르디에가 도망치듯 밖으로 나가자 마리위스는 코제트에게로 달려갔다.

"코제트, 내 생명을 구해 준 분을 찾았소."

"어디 계세요?"

"옴 아르메 가 7번지에!"

"아, 그 곳은 우리 아버지 댁이잖아요!"

대령(大領): 군대의 영관 계급의 하나. 중령 위, 준장 아래의 계급.

"아버님이 나를 구해 주셨어. 그것도 모르고 꺼림칙하게 생각했다니! 어서 가서 모셔 옵시다."

문 두드리는 소리가 들리자 장 발장은 힘없는 음성으로 들어오라고 말했다. 그러자 코제트와 마리위스가 들어왔다. 그는 의자에서 일어나며 두 손을 벌려 코제트를 맞이했다. 코제트는 기쁨을 감추지 못하고 장 발장의 가슴에 안겼다.

"아버지."

코제트가 외쳤다.

"오, 코제트로구나. 내 딸아, 어떻게 된 일이냐?"

그는 코제트를 꼭 껴안으면서 말했다.

"다시는 너를 볼 수 없다고 생각했는데……. 다시 만날 수 있어 얼마나 좋은지 모르겠구나."

그러자 코제트가 말했다.

"아버지, 아버지 손이 왜 이렇게 찬 거예요. 어디 편찮으세요?"

진작에 찾아오지 그랬어?
훅훅, 지금은 너무
늦은 것 같은데…….

마리위스도 담아 두었던 말을 한꺼번에 쏟아 냈다.

"아버님, 왜 저에게 모든 것을 말씀해 주시지 않으셨어요? 아버님이 마들렌 씨라는 것과 저를 살려 주신 일을? 아버님, 이제 저희들이 모시겠습니다. 단 하루도 혼자 계시게 내버려 둘 수 없어요."

"아니야, 이제 됐네. 하느님이 친절하시다는 증거는 이 아이가 온 것으로 충분하네. 함께 사는 것은 분명히 즐거운 일이겠지만 이제……, 곧 나는 죽을 거야."

코제트와 마리위스는 소스라치게 놀랐다.

"말도 안 돼요. 아버지!"

문이 열리는 소리가 들리더니 의사가 들어왔다.

"어서 오시오, 선생. 이제 나는 떠날 때가 된 것 같소. 여기……, 내 귀여운 자식들이오."

의사는 장 발장의 맥을 짚어 보고는 이렇게 말했다.

"아, 이분에게 정말 필요했던 약은 당신들이었군요."

그러나 의사는 마리위스의 귓가에 대고 낮은 목소리로 속삭였다.

"하지만 이미 늦었습니다."

장 발장은 코제트를 바라보며 이렇게 말했다.

"죽는 것은 무섭지가 않아. 단지 너희들을 더 이상 보지 못하는 것이 가슴 아플 뿐이지."

장 발장은 천천히 일어나더니 벽을 향해 걸어갔다. 그리고는 십자가를 떼어 손에 쥐고 비틀거리며 제자리로 돌아왔다.

그 모습을 본 코제트는 아버지가 다시 회복할 것으로 생각했다. 그러나 장 발장은 점차 힘을 잃어 가고 있었다. 침대에 누운 그의 얼굴엔 창백한 미소가 떠올라 있었다. 장 발장은 코제트와 마리위스에게 가까이 오라고 손짓했다.

장 발장은
마지막 힘을 내어
십자가를 가져온 거야.
십자가를 손에 쥔 채로
죽고 싶어서.

"울지 마라. 처음 봤을 때, 너는 숲 속에서 양동이를 들고 걷고 있었지. 네 귀여운 손을 잡아

본 것이 그 때가 처음이었구나. 참 예쁘게, 잘도 놀았어. 함께 걷던 숲, 산책하던 가로수街路樹 길, 수녀원, 어린 시절의 그 환한 미소……. 이제 그 모든 것이 다 지나간 일이로구나. 코제트야, 네 어머니의 이름은 팡틴이란다. 그 이름을 잘 기억해 두어라. 어머니는 너와 함께 살지는 못했지만, 너를 잘 키우기 위해 몹시 고생하셨단다. 이 모든 것은 하느님의 뜻이다. 이제, 하늘의 빛이 보이는구나. 좀 더 가까이 와 다오. 나는 행복하구나……."

장 발장은 코제트와 마리위스에게 축복을 빌어 주었다.

"벽난로 위에 있는, 은 촛대를 보거라. 내게, 저것을 주신 분이……. 나는 이제 그분을, 만나러 갈 거야. 나를 땅에 묻고 그 표시로 작은 돌을 하나 얹어 다오. 마리위스, 부디 코제트를 행복하게 해 주게."

가로수(街路樹) : 큰길의 양쪽 가에 줄지어 심은 나무.

아버지!
네 어머니 이름은
팡틴이란다…….
미리엘 주교님,
전 이제 당신이 있는
하느님 곁으로 갑니다.

코제트와 마리위스는 장 발장 곁에서 눈물을 흘리며 그의 손을 잡았다. 장 발장은 반듯이 누워 하늘을 바라보고 있었다.

"언제나 서로 깊이 사랑하여라. 이 세상에 그 밖의 것은 별로 중요하지 않단다."

코제트와 마리위스가 그의 마른 두 손에 입을 맞추었다. 그 날 밤에는 별도 뜨지 않았다.

페르 라셰즈 공동묘지에는 다른 비석들과 멀리 떨어진 한 구석에 비석이라고 말할 수도 없을 만큼 이끼와 풀에 뒤덮여 있는 쓸쓸한 돌멩이가 하나 있었다. 거기에는 아무런 이름도 적혀 있지 않았으며, 다만 몇 년 전에 누군가가 연필로 적어 놓은 것 같은 글씨만이 세월과 함께 희미하게 지워져 가고 있었다.

그는 잠들었네.

고단한 몸을 이끌고 먼 길을 걸어와

여기에 누웠네.

그의 천사가 부르는 곳으로

높은, 저 높은 곳으로 가기 위해.

낮이 물러가고 밤이 찾아오듯

그는 이제 잠들었네.

PART 3

깊어지는 논술

카리스마가 넘치는 남자,
장 발장의 삶을
집중 분석해 봅시다!

깊어지는 논술

작품 소개

레 미제라블 (Les Misérables)

빅토르 마리 위고가 1862년에 발표한 작품이에요. 주인공 장 발장을 비롯한 인물들의 파란만장한 생애를 다루고 있는 대서사시라고 할 수 있지요. 〈레 미제라블〉을 관통하고 있는 작가의 생각은 바로 인도주의예요.

인도주의는 모든 사람은 평등하며, 서로 도와 함께 어울려 살 수 있다는 생각이지요. 문학 작품 말고도 잔인한 형벌을 폐지하자는 운동이나 아프리카 난민들에게 구호의 손길을 보내는 활동으로도 인도주의는 표현되고 있답니다.

또한 〈레 미제라블〉은 이성이나 논리를 떠나 개인의 자유로운 감성에 호소하는 낭만주의 문학의 대표적인 작품으로도 가치를 지니고 있답니다.

◀ 여러분은 장 발장의 삶에서 무엇을 느꼈나요?

작가 소개

빅토르 마리 위고 (Victor Marie Hugo, 1802~1885)

1802년 프랑스의 브장송에서 태어난 빅토르 마리 위고는 프랑스 사람들이 국민 시인으로 받들고 있는 작가랍니다. 그의 출생 배경은 작품 속의 마리위스와 무척 닮았어요. 아버지는 나폴레옹을 따르는 장군이었고 어머니 집안은 왕당파 가문이었거든요. 그래서 그의 어린 시절도 마리위스처럼 불우했지요. 훗날 그는 프랑스의 변혁기에 활발하게 정치 활동을 하며 많은 작품을 남겼답니다.

빅토르 마리 위고는 프랑스의 인도주의와 낭만주의 문학의 거장으로 손꼽히는 작가이며, 주요 작품으로는 〈레 미제라블〉, 〈노트르담 드 파리〉, 〈웃는 사나이〉 등이 있어요.

험난한 프랑스 사회에서
고민 많이 했다우.

▼ 〈노트르담 드 파리〉 또한 빼놓을 수 없는 명작입니다.

Hugo
Notre-Dame de Paris

생각의 날개를 펼쳐요!

무엇이 우리를 자유롭게 해 줄까요?

모두들 〈레 미제라블〉을 재미있게 읽었나요?

〈레 미제라블〉은 사회에 대한 분노로 가득했던 전과자 장 발장이 미리엘 주교를 만난 후 점차 성인으로 변화해 가는 과정을 그린 이야기예요. 이 이야기에서 무엇이 장 발장을 변화시켰는지 이해할 수 있었나요?

빵 하나를 훔친 장 발장은 5년 형에 처해졌으나 거듭되는 탈옥 실패로 형기가 추가되어 19년 동안이나 감옥에 갇혀 있어야 했어요.

죄를 지은 사람이 감옥에 들어가면 자신의 이름을 빼앗기고 죄수 번호로 불리지요. 자유를 빼앗긴 죄수들은 사람 대접을 받지 못해요. 장 발장이 감옥에서 나온 후에도 상황이 달라지지 않았어요. 전과자임을 나타내는 누런 통행권이 수갑처럼 장 발장의 생활을 얽매고 있었기 때문이에요.

그러나 장 발장을 자유롭지 못하게 만든 것은 누런 통행권만이 아니에요. 장 발장 스스로가 만들어 놓은 욕심과 이기심의 족쇄가 오히려 그를 더 얽매어 놓았으니까요.

장 발장은 자신에게 친절을 베푼 미리엘 주교에게 고마운 마음을 가지고 있으면서도 한순간의 유혹을 뿌리치지 못해 은그릇을 훔치고 말았어요.

그러나 미리엘 주교는 장 발장에게 진정한 자유가 무엇인지를 일깨워 주었어요. 그것은 장 발장이 태어나서 지금까지 한 번도 받아 보지 못한 것이었어요. 바로 사랑과 용서였지요.

장 발장은 미리엘 주교의 아낌없는 사랑과 한없는 용서에 큰 감동을 받습니다. 그리고 조금씩 달라져 가요. 비록 장 발장은 쫓기는 범죄자의 몸이지만 다른 사람들에게 사랑과 용서를 베풀면서 살아가게 되지요.

스스로가 만들어 놓은 족쇄에 매여 있었던 사람은 과거의 장 발장뿐이 아니에요. 장 발장을 뒤쫓는 자베르 형사 또한 자신의 삶에 구속받기는 마찬가지였어요. 그는 다른 사람이 선의로 베푸는 일까지 의심하려 들었고, 사회 정의라는 이름으로 고통받는 약자들을 괴롭혔지요.

하지만 장 발장은 자기를 감옥에 넣으려고 했던 자베르의 목숨을 살려 주었어요. 자베르는 자신이 씌워 놓은 굴레와 장 발장이 선물해 준 자유 사이에서 고민하다가 죽음을 선택합니다. 그것이 옳은 선택이라고 말할 수는 없지만, 자베르는 자기 자신에게서 자유로울 수 있는 유일한 방법을 선택한 거예요.

장 발장이 사랑과 용서를 실천하는 것은 쉬운 일이 아니었어요. 착한 사람을 이용하려고 하는 테나르디에와 같은 사람들의 괴롭힘도 이겨 내야 했고, 사랑하는 코제트를 떠나보내며 참기 힘든 외로움까지도 견뎌야만 했지요. 그러나 장 발장은 죽는 순간까지 다른 사람들을 용서하는 마음을 잃지 않았어요.

"언제나 서로 깊이 사랑하여라. 이 세상에 그 밖의 것은 별로 중요하지 않단다."

장 발장은 마지막으로 이 말을 남기고 미리엘 주교가 있는 하늘나라로 떠났어요. 장 발장의 평화로운 마지막 모습은 19년 동안 옥살이를 마치고 나왔던 전과자의 불안한 모습과는 전혀 달랐어요. 세상의 모든 짐을 짊어진 모습이 아닌, 진정한 자유를 아는 사람의 편안한 모습이었으니까요.

여러분은 어떤가요? 여러분에게도 자유를 막고 있는 미움이나 질투, 시기심 같은 나쁜 마음이 있나요? 그것들을 훌훌 털어 버리고 자유로워지려면 어떻게 해야 하는지 생각해 보세요.

나만 보면 시비를 거는
나쁜 친구가 있어.
그 친구 콱 넘어져서
코나 깨졌으면 좋겠네.

생각을 한번 바꿔 봐.
날 괴롭힌 친구에게
먼저 친절을 베푸는 거야.
그럼 미워하는 마음으로부터
자유로워질 수 있을 테니까.

PART 4

PART 4 PART 4
PART 4 PART 4 PART 4
PART 4 PART 4 PART 4 PART 4
PART 4 PART 4 PART 4 PART 4 PART 4
PART 4 PART 4 PART 4 PART 4 PART 4 PART 4
PART 4 PART 4 PART 4 PART 4 PART 4
PART 4 PART 4 PART 4 PART 4
PART 4 PART 4 PART 4
PART 4 PART 4

논술 워크북

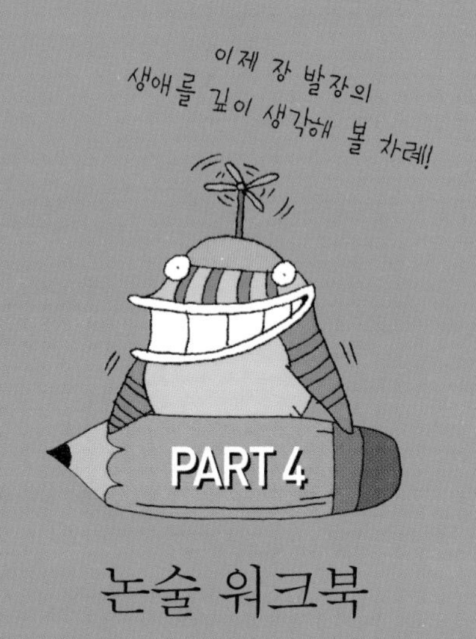
이제 장 발장의
생애를 깊이 생각해 볼 차례!
PART 4

논술 워크북

논술 1단계 | 꼭 알고 넘어가요

1-1 유난히 등장 인물이 많은 작품입니다. 마인드맵으로 등장인물 간의 관계를 정리해 봅시다.

HINT

마인드맵(mind map)은 영국의 심리학자 토니 부잔이 개발한 사고 훈련법입니다. 여러 가지 생각을 지도를 그리듯이 표현해 보세요. 커다란 줄기에서 세밀한 잎맥까지, 생각을 나뭇가지처럼 쭉쭉 뻗다 보면 어느 새 창의력이 자라는 것을 느낄 수 있을 거예요.

1-2 작품 속에서 장 발장은 위기를 피하기 위해 여러 개의 이름을 갖게 됩니다. 어떤 상황에서 다음 이름들을 갖게 되나요?

- **장 발장**
- **마들렌**
- **윌팀 포슐방**
- **르블랑**

HINT

줄거리의 흐름에 따라가 보세요. 그 당시의 직업이나 상황을 정리해 가며 읽었다면 큰 어려움이 없겠지요.

2 장 발장의 생애를 통해 배울 점은 어떤 것이 있는지 설명해 보세요. 또 고칠 점이 있다면 어떤 것이 있는지 지적해 보세요.

- **장 발장에게 본받을 점**

- **장 발장의 고칠 점**

HINT

장 발장이 훌륭한 사람이라고 생각했다면 그 이유는 무엇인가요? 만약 지적할 점이 있다면 그 이유는 또 무엇인지 생각하며 책을 읽어 보세요.

3 감옥에서 19년을 복역하고 나온 장 발장은 감옥에서 나온 후 유일하게 자신을 따뜻하게 대해 준 미리엘 주교의 집에서 은그릇를 훔쳤습니다. 하지만 미리엘 주교는 이 사실을 모두 알면서 자신이 준 선물이라고 말해 장 발장을 위기에서 구해 줍니다. 오히려 두고 간 물건이 있다고 말하면서 은 촛대마저 줍니다.
이러한 미리엘 주교의 행동에 대하여 여러분은 어떻게 생각하나요?

HINT

정해진 답은 없습니다. 자신의 생각을 주장해 보세요. 미리엘 주교의 행동은 작품 내내 이야기를 이끌어 가는 원동력이 됩니다. 미리엘 주교의 행동에 대한 여러분의 생각은 어떤가요?

4 여러분의 생각을 6단 논법으로 말해 봅시다.

안건	은그릇을 훔친 장 발장을 위해 경찰에게 거짓말을 한 미리엘 주교의 행동은 바람직하다.
결론	(찬성 / 반대)
이유	
설명하기	왜냐 하면 첫째, 둘째, 셋째,
반론 고려	물론
정리	

HINT

꼭 이와 같은 틀에 맞추어 이야기할 필요는 없어요. 하지만 생각을 정리하는 것이 막막하다면 이 틀에 맞춰 보세요. 중요한 건 틀이 아니라 자신의 주장을 탄탄하게 만드는 과정이라는 것 아시죠?

5 다음과 같이 논술문 주제를 정하고, 여러분의 생각을 담아 논술문을 써 보세요.

제목 : 〈레 미제라블〉을 읽고 - 세상을 움직이는 용서와 사랑

HINT

세상을 움직이는 용서와 사랑이라는 주제에 관심을 기울이세요. 주제를 생각하고 쓰면 한결 쓰고 싶은 내용이 잘 정리된답니다.

6 책을 읽고 느낀 점과 생각을 자유롭게 정리하여 다양한 형태의 독서 감상문을 써 보세요. 글을 다 쓰고 나서 부모님이나 친구 앞에서 발표해 보는 것도 잊지 마세요.

가이드북

GUIDE BOOK

〈레 미제라블〉에 대하여

프랑스에서의 빅토르 마리 위고의 위상은 영국의 셰익스피어 못지않답니다. 그의 주요 작품으로는 불후의 걸작으로 꼽히고 있는 〈노트르담 드 파리(Notre Dame de Paris, 1831)〉 등이 있습니다. 빅토르 마리 위고는 1851년에 루이 나폴레옹(나폴레옹 3세)이 쿠데타로 제정(帝政)을 수립하려고 하자 이를 반대했습니다. 결국 망명 길에 올라, 벨기에를 거쳐 영국 해협의 저지 섬과 간디 섬에서 19년간 생활해야 했습니다. 이 망명 기간이 인생에서 가장 충실한 시기였으며, 파리에 돌아온 이후에 발표한 대부분의 작품이 이 시기에 집필된 것이라고 합니다. 1885년 그가 죽자 국장으로 장례가 치러지고 팡테옹에 묻혔습니다. 그의 생애는 인류의 무한한 진보, 이상적인 사회 건설 등의 낙관적인 신념으로 일관되어 있었습니다. 그는 작가로서뿐만 아니라 정치가로서도 당시의 사회를 앞서 살아간 인물입니다.

작품의 전체 줄거리

굶주리는 조카들에게 주려고 빵을 훔치다 붙잡힌 장 발장은 19년간 옥살이를 하고 나옵니다. 그는 미리엘 주교의 따뜻한 친절에 감동하지만, 유혹을 이기지 못해 은그릇을 훔칩니다. 이 사실을 안 주교는 그의 죄를 덮어 주고 오히려 은 촛대를 장 발장에게 선물합니다. 그 후 장 발장은 이름을 '마들렌'으로 바꾸고 사람들에게 헌신하고 봉사하는 삶을 삽니다. 명예로운 시장의 자리에 오르고 재산도 꽤 모으게 되지요. 그러나 어떤 사나이가 '장 발장'으로 잘못 알려져 재판을 받게 되자, 장 발장은 스스로 자신의 정체를 폭로합니다. 한편 고단한 삶을 살아가던 팡틴은 죽음을 맞고 그녀의 딸 코제트는 장 발장의 손에 키워집니다. 코제트는 장 발장에게 커다란 삶의 기쁨이자 위안이 됩니다. 훗날 아름답게 자란 코제트는 마리위스라는 청년을 사랑하게 됩니다. 장 발장은 혁명 전쟁 때 부상을 입은 마리위스를 구해 내고 코제트와 결혼을 시키면서 지참금으로 자신의 전 재산을 내놓습니다. 장 발장을 모함하기 위해 찾아온 테나르디에 때문에 오히려 마리위스는 장 발장이 자신을 구해 준 생명의 은인이라는 것을 깨닫고 코제트와 함께 찾아갑니다. 그러나 이미 쇠약해진 장 발장은 두 사람이 바라보는 앞에서 조용히 숨을 거둡니다.

〈레 미제라블〉의 의미

세상을 움직이는 큰 힘은 군인의 총칼도 아니요, 붓을 쥔 언론의 힘도 아닙니다. 가장 큰 힘은 이름 없이 왔다 간 인류의 사랑이 아닐까요?

참으로 애달픈 삶을 살다 간 팡틴, 태어나면서부터 학대와 집안일에 유년기를 빼앗겨 버린 코제트, 아버지와 할아버지의 사랑을 받지 못했던 마리위스, 직업적 의무에 얽매였던 자베르, 세상살이의 기준을 돈에 두었던 교활한 테나르디에. 이들은 모두 삶의 굴레에서 자유롭지 못했습니다. 그러나 장 발장은 19년 동안이나 감옥 생활을 했지만 마지막 순간에는 진정한 자유를 찾을 수 있었습니다. 작가가 이 작품을 통해서 전하려고 했던 메시지를 생각하며 다시 한 번 〈레 미제라블〉을 읽어 보세요.

논술 1단계 해설 | 꼭 알고 넘어가요

1-1 사고 영역 _ 사실적 이해

본문의 내용을 꼼꼼하게 읽었는지 알아보는 문제입니다. 이야기의 줄거리를 잘 알아야겠지요. 책 옆에 메모지를 준비해 두세요. 등장 인물이 많거든요.

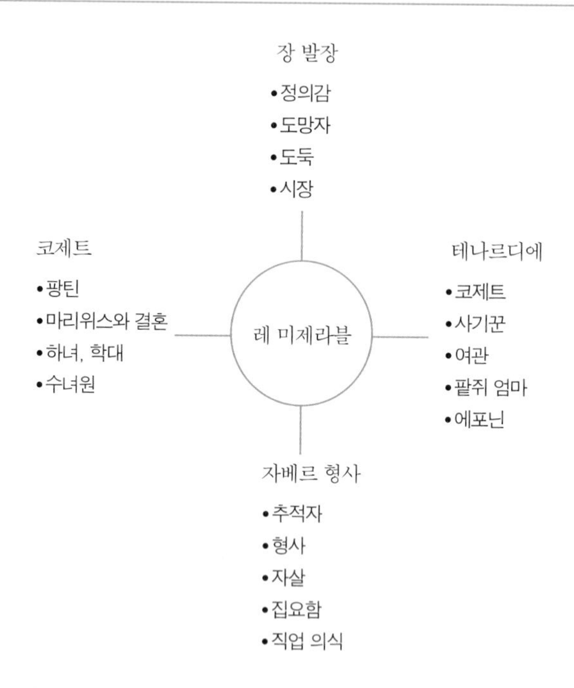

CHECKPOINT

그 외의 다른 인물들에 대해서도 생각해 보세요. 떠오르는 단어들을 모두 적어 가며 생각을 확장시키는 것이 중요합니다.

1-2 사고 영역 _ 사실적 이해

본문의 내용을 잘 이해했는지 확인하는 문제입니다. 한 인물이 여러 개의 이름을 통해 어떻게 변화하는지 생각해 보세요.

- **장 발장** : 주인공의 이름입니다. 불굴의 의지로 용서와 사랑이라는 두 개의 빛을 찾게 됩니다.

- **마들렌** : 흑구슬을 만드는 유리 가공법을 개발하여 부자가 되었고, 메르 시가 공업 도시로 발달하는 기반을 마련합니다. 많은 사람들의 지지로 메르 시의 시장이 됩니다.

- **윌팀 포슐방** : 정원사 포슐방의 조수입니다. 코제트를 지키기 위해 수녀원에서 일하게 됩니다.

- **르블랑** : 도망자의 몸으로 소리 없이 남을 돕는 자선가입니다. 사기꾼 종드레트(테나르디에)를 돕다가 위험에 빠집니다.

CHECKPOINT

줄거리의 흐름에 따라가 보세요. 그 당시의 직업이나 상황을 정리해 가며 읽었다면 큰 어려움이 없겠지요.

2 사고 영역 _ 비판적 사고

인물을 비판적으로 바라보는 시각을 길러 주는 문제입니다. 이야기 속에서 어떤 인물이 훌륭하게 표현되었다고 해도 비판 받을 점이 없는지 다시 한 번 생각해 보세요.

• 장 발장에게 본받을 점

장 발장은 본받을 점이 많은 사람이라고 생각한다. 굶주린 조카들을 위해 빵을 훔친 일이 원인이 되어 19년이나 감옥 생활을 해야 했다. 그럼에도 불구하고 그는 운명을 탓하거나 불평하지 않고 정의롭게 살려고 애썼다. 특히 자베르 형사에게 평생을 쫓기면서도 그를 죽일 수 있는 순간 풀어 주며 용서해 주는 장면은 세상을 새롭게 만드는 따뜻한 사랑의 힘을 알게 해 준다. 장 발장은 시장으로서 존경받는 평탄한 삶을 버리고, 누명을 쓴 샹마티외를 구하기 위해 험한 삶을 택했다. 팡틴의 고통을 모르는 척했다면 훨씬 살기가 쉬웠겠지만 장 발장은 그러지 않았다.

사회에 대한 분노로 가득했던 그는 자신의 재산을 가난한 이들과 나누며 힘든 이들을 위로하고 보살펴 주는 삶을 살아간다. 장 발장은 우리들에게 삶의 목적이 무엇인가 생각해 보는 기회를 주는 인물이다.

• 장 발장의 고칠 점

장 발장은 의로운 사람이지만 옳은 일을 하기 위해 정당하지 못한 방법을 자주 사용했다. 배고픈 조카들에게 빵을 먹게 해 주고 싶은 그의 마음은 비판받을 만한 것이 아니다. 그러나 도둑질이라는 방법을 선택한 것은 분명한 잘못이다. 감옥에 갇힌 후에도 조카들이 걱정된다는 이유로 여러 번 탈옥을 시도했다가 결국 5년으로 끝날 수 있었던 감옥 생활을 19년이나 하게 되었다. 만약 장 발장이 법의 테두리 안에서 정의를 실천하고, 자신의 잘못을 인정하며 주어진 벌을 받았다면 그의 인생은 밝고 따뜻했을 것이다. 그러나 그는 많은 선행을 베풀었음에도 불구하고 항상 누군가에게 쫓기며 불안에 시달려야 했다.

장 발장은 아름다운 인간애를 가진 사람이었다. 그러나 자신이 원하는 삶을 지키기 위하여 부당한 방법을 사용했다는 점에서 비판받아 마땅하다. 코제트의 관심과 사랑을 빼앗기고 싶지 않아서 마리위스의 편지를 중간에 가로챈 행동 또한 같은 맥락에서 이해할 수 있을 것이다. 이런 장 발장을 본받는다면 얻는 것만큼 잃는 것도 많을 것이라고 생각한다.

CHECKPOINT

장 발장의 성격과 생애를 본받을 점과 고칠 점으로 나누어 입체적으로 바라보도록 합시다.

3 사고 영역 _ 창의적 사고

본문에 나오지 않는 내용을 생각하게 하는 문제입니다. 이야기 속 문제를 해결하는 다른 방법에는 무엇이 있는지 생각해 보고 작가가 선택한 방법에 담긴 의미도 함께 생각해 보세요.

누군가가 물건을 훔쳤다고 할 때 문제를 해결하는 방법은 여러 가지가 있습니다.

쉽게 떠올릴 수 있는 것은 경찰에게 사실을 그대로 알리는 방법입니다. 죄를 지은 사람이 그에 합당한 벌을 받고 자신의 잘못을 뉘우치도록 하는 것은 사회 질서를 바로잡는 데 도움을 줄 것입니다.

또다른 방법은 미리엘 주교처럼 용서와 사랑을 실천하는 방법입니다. 은그릇을 훔쳐 달아난 장 발장을 두고 미리엘은 말합니다.

> "처음부터 전과자였던 사람은 없어요. 다만 몸과 마음이 가난한 사람일 뿐이죠. 그렇다면 그가 은그릇의 주인이 맞아요. 하느님은 가난한 사람을 위해 쓰라고 그 물건을 우리에게 잠시 맡겨 두신 거니까요."
>
> \- 제1장

그렇다면 작가가 문제를 해결하는 방법으로 두 번째 방법을 선택한 이유는 무엇일까요? 본문을 충실하게 읽어야 작가의 의도를 찾을 수 있답니다. 이 작품의 바탕에 흐르는 정신은 '용서와 사랑' 입니다. 하지만 실제로 생활에서 실천한다는 일은 무척 어려운 일입니다. 작가는 장 발장과 미리엘 주교, 팡틴, 코제트, 마리위스, 자베르, 테나르디에 등의 많은 인물을 통하여 세상을 새롭게 만드는 따뜻한 사랑에 대한 이야기를 전하고자 하는 것이랍니다.

CHECKPOINT

용서와 사랑을 실천한 미리엘 주교의 방법도 맞고, 법에 따라 심판을 받아야 한다는 생각도 틀리지 않습니다. 왜 그렇게 생각하는지를 밝혀 주는 것이 중요합니다. 이 두 가지 외에 또다른 방법은 없을까요?

4 사고 영역 _ 논리적 사고

주어진 쟁점에 관하여 자신의 입장을 선택해 보세요. 물론 찬성과 반대 중 하나여야 합니다. 정해진 답이 있는 것은 아니지만 자신이 선택한 입장에 대하여 논리적으로 설명과 반론을 제시해 보세요.

6단 논법 : 찬성 입장

안건	장 발장을 위해 거짓말을 한 미리엘 주교의 행동은 바람직하다.
결론	(찬성 입장)
이유	죄를 벌하는 것만이 능사가 아니다. 미리엘 주교의 따뜻한 용서에 의해 장 발장은 새 삶을 찾게 되었다.
설명하기	첫째, 죄는 미워하되 사람은 미워하지 말라는 말이 있다. 장 발장을 다시 감옥에 보냈다면 그는 남은 삶을 감옥에서 끝마쳐야 했을 것이다. 미리엘 주교의 판단은 장 발장이 정의감을 가지고 평생을 살아가는 바탕이 되었다. 둘째, 종교는 법처럼 눈에 보이는 사건만을 두고 선과 악을 구분짓는 것이 아니라, 오히려 보이지 않는 부분을 중요시하며 구원의 손길을 내미는 것이다. 주교로서 사랑을 전파하는 것은 자신의 직업에 최선을 다한 결과이다. 셋째, 법이 아무리 완벽하다고 해도, 모두에게 옳게 적용되는 것은 아니다. 법은 사회가 유지되기 위해서 필요한 최소한의 규칙이기 때문에 모든 세상의 이치를 법으로만 적용해선 안 된다.

반론 고려	물론, 모두가 미리엘 주교처럼 범죄자를 대한다면 법이 필요가 없어지고 사회가 혼란에 빠질 것이라고 주장할 수 있다. 또 경찰이 헛걸음을 하게 되어 공무 집행에 방해가 됐다고 할 수도 있다.
정리	미리엘 주교의 행동은 찬성하거나 반대할 입장의 문제가 아니다. 어디에서건 사람이 먼저라는 인간 중심의 생각에서 판단했으면 좋겠다.

CHECKPOINT

반대 입장은 '모든 사람은 법 앞에 평등하고 주교도 마찬가지이다.' 라고 주장할 수 있겠지요. 어떤 경우에는 법을 지키고 어떤 경우에는 지키지 않는다는 것은 옳지 않다는 원칙을 내세워 반대 입장의 생각을 정리해 보세요.

5 사고 영역 _ 논리적 사고

정리된 입장에서 한 발 더 나아가 보세요. 그리고 장 발장의 정의로운 행동에 대하여 다시 생각해 보세요. 이야기가 훨씬 더 깊이 이해되는 경험을 하게 될 거예요.

제목 : 〈레 미제라블〉을 읽고 – 세상을 움직이는 용서와 사랑

장 발장은 조카들을 위해 빵 하나를 훔친 것이 원인이 되어 19년 동안이나 감옥살이를 했다. 감옥에서 나오자 어느 곳에서도 그를 받아 주지 않았기 때문에 그의 마음 속에는 세상에 대한 분노만이 가득했다. 하지만 가장 아끼는 은그릇을 훔쳐 간 자신에게 은 촛대를 내놓으며 감싸 주는 주교에게 깊은 감동을 받았다. 나는 미리엘 주교님의 너른 아량과 인자함에 안도의 한숨이 나왔다. 만일 주교가 장 발장을 감싸 주지 않고 고발했다면 이 이야기가 어떻게 흘러갔을까? 미리엘 주교는 자신의 행위가 당연하다고 하겠지만 내가 그 일을 실천하기는 참 어려울 것 같다. 수십 억의 인구가 살고 있는 세상이 그래도 건강하게 떠받쳐지는 것은 아마도 미리엘 주교 같은 분이 나쁜 사람보다는 더 많기 때문이 아닐까?

〈레 미제라블〉을 읽은 수많은 독자에게 작가가 주고 싶었던 메시지

는 세상을 움직이는 '용서와 사랑' 이었다. 최소한의 생활비만 제외하고는 모두 가난한 사람들을 위해서 쓰는 주교의 "왜 제 손님을 죄인처럼 붙잡고 있는 건가요?"라는 말 한 마디가 훗날 범죄자였던 장 발장이 두고두고 건실하고 정의롭게 살아가는 바탕이 된다. 자신이 가장 소중하게 여기는 은그릇과 은 촛대를 당연한 듯 베풀어 주는 마음에서 장 발장은 '용서' 를 배운다. 그리고 팡틴이 세상에 남긴 유일한 피붙이인 코제트를 통해 '사랑' 이 아지랑이처럼 피어오르는 것을 느낀다. 그 이후로 장 발장은 베품과 나눔을 통해 자유를 느끼게 된다. 장 발장이 세상으로부터 받은 두 가지의 빛은 바로 용서와 사랑이다.

나는 우리 삶의 목표가 무엇일까 생각해 보았다. 그것은 아마 '용서와 사랑' 이 아닐까. 책의 마지막 장을 넘기면서 매우 뿌듯해지는 느낌이 들었다. 그리고 내가 무척 착해지는 것 같은 느낌이 든다. 작가 빅토르 위고가 전하려고 했던 용서와 사랑을 나도 조금씩 조금씩 배우고 싶다. 그리고 내 가족과 주위 친구들에게 실천하고 싶다.

1~5단계를 거치며 정리된 여러분의 생각을 바탕으로 자유롭게 독서 감상문을 써 보세요. 이야기에 대한 느낌을 내 생활 속으로 가져오세요. 독서 감상문의 형태는 다양합니다. 다음 예문은 편지 형식의 독서 감상문입니다. 참고하세요.

제목 : 미리엘 주교님께

삶의 가치를 어디에 두고 살아야 하는지를 생각하게 하는 좋은 책을 읽으며 당신을 만났습니다. 주인공인 장 발장에게 존경의 마음을 갖는 것은 당연하지만 나는 오늘 특별히 당신께 깊은 감사를 드리고 싶습니다.

당신은 나폴레옹으로부터 주교로 임명을 받은 뒤 방이 수십 개나 되는 저택을 받았지만 환자들을 위해서 넓은 집을 작은 병원과 바꾸셨지요. 오늘날과 같은 물질 만능 시대에는 돈으로 안 되는 일이 없다는 생각이 듭니다. 물론 학교에서는 물질보다 정신이 중요한 것이라고 배우지만 현실 속에서는 물질이 정신보다 더 중요하게 작용하는 경우가 많습니다. 생활 속에서 절제와 절약을 실천하며 바쁘게 살아가신 당신의 모습을 나도 배우고 싶습니다. 투명한 유리에 빛나는 햇살처럼 숭고한 당신의 모습을 만날 수 있으면 좋겠습니다. 노동자와 회사측이 자신의 이익을 위해서 싸우는 모습, 넘쳐나는 물질 속에서도 굶주린 어린이들이 줄지 않는 이 지구의 생활, 전쟁터에서 총을 들고 있는 군인의 모습을 보시면 당신은 어떤 말씀을 해 주실까요?

당신은 장 발장이 정의롭게 제 2의 인생을 살 수 있게 도와 준 분입니다. 주교님의 집에서 따뜻한 대접을 받은 장 발장은 은그릇을 훔쳐 달아나지만 다시 잡혀 옵니다. 장 발장이 당황해서 어쩔 줄 모르던 순간, 당신의 말은 수많은 독자들을 감동시키고 있습니다. 당신은 도둑질을 한 장 발장에게 화를 내지 않고 오히려 은 촛대는 왜 가지고 가지 않았느냐는 말을 건네셨지요. 19년 동안 감옥 생활을 하며 바위처럼 굳어 버린 장 발장의 분노가 주교님에 의해서 산산이 부서졌습니다. 훗날 장 발장이 평생 정의롭게 살며 가난하고 버림받은 사람을 위해 일하게 된 것은 모두 주교님의 덕택이 아닐까요?

나는 아직은 어리지만 내 생활 속에서 누군가에게 따뜻한 마음으로 배려하며 사랑을 나누는 사람이 되고 싶습니다. 마지막 책장을 덮으며 당신의 사랑과 용서에 다시 한 번 감사를 드립니다.

1 동물농장
2 걸리버 여행기
3 좁은문
4 돈 키호테
5 죄와 벌
6 정글북
7 지킬 박사와 하이드
8 전쟁과 평화
9 지구에서 달까지
10 허클베리 핀의 모험
11 비밀의 화원
12 이상한 나라의 앨리스
13 아큐정전
14 변신
여자는
약하지만
어머니는
정말
강해~.

사랑은
세상의 모든 어머니를
용감하게 하지.
〈어머니〉를 읽어 본다면
그 이유를
알 수 있을 거야.
우리 어머니는
섹시하시기도 하지만
강한 여성이시지.
꿈에서도 보고 싶은
우리 엄마.
〈어머니〉에서
만나용.
논술 명작 16
어머니